Chères lectrices,

C'est toujours merveilleux de voir arriver le mois de décembre. Même en plein cœur de l'hiver, poésie et magie semblent s'emparer de nos villes, les illuminant, les parant, les métamorphosant pour notre plus grand ravissement.

Et parce que la magie est aussi dans vos romans, je vous propose ce mois-ci deux ouvrages autour du thème de Noël, dans lesquels l'émotion liée à ce moment si particulier de l'année sera au rendez-vous. Mais ce n'est pas tout… Vous découvrirez également le dernier volet de votre trilogie, *Les héritiers d'Illyria*. Cette fois, c'est au tour de Marco Considine, le frère du grand-duc, de découvrir l'amour dans les bras de Jacoba, mais aussi de faire face au passé secret de la principauté d'Illyria, au cœur de l'Europe centrale. L'intrigue écrite par Robyn Donald dessine ainsi une merveilleuse fresque mêlant passé et passion…

Sans oublier, bien sûr, les autres romans de ce mois de décembre, un mois de décembre que je vous souhaite doux et enchanté.

Très bonne lecture.

La responsable de collection

Amoureuse du prince

ROBYN DONALD

Amoureuse du prince

COLLECTION AZUR

*éditions*Harlequin

Cet ouvrage a été publié en langue anglaise
sous le titre :
THE PRINCE'S CONVENIENT BRIDE

Traduction française de
LOUISE LAMBERSON

HARLEQUIN®

est une marque déposée du Groupe Harlequin
et Azur ® est une marque déposée d'Harlequin S.A.

Photo de couverture
Château : © BOYER / JUPITER IMAGES

Toute représentation ou reproduction, par quelque procédé que ce soit, constitue-rait une contrefaçon sanctionnée par les articles 425 et suivants du Code pénal.
© 2007, Robyn Donald. © 2007, Traduction française : Harlequin S.A.
83-85, boulevard Vincent-Auriol, 75013 PARIS — Tél. : 01 42 16 63 63
Service Lectrices — Tél. : 01 45 82 47 47
ISBN 978-2-2808-3738-5 — ISSN 0993-4448

1.

Cet endroit était vraiment le cadre idéal pour une soirée romantique, songea Jacoba Sinclair. Tel un grand disque pâle et majestueux, la lune traversait lentement le ciel, embrasant le panorama de montagnes et entourant leurs contours ronds et imposants d'une auréole argentée. A leurs pieds, le lac sombre miroitait de reflets d'obsidienne.

La jeune femme regarda autour d'elle dans la salle immense. En contraste avec la pureté du spectacle de la nature, les invités buvaient du champagne dans des tenues élégantes et sophistiquées. La lumière qui ruisselait d'un impressionnant lustre vénitien faisait luire les épaules nues et les décolletés ornés de bijoux, leur lustre chatoyant mettant en valeur le moiré satiné des toilettes et l'austérité recherchée des smokings des hommes. Sur les tables décorées de guirlandes de fleurs blanches et dorées, les flammes des bougies vacillaient et se reflétaient dans le cristal et l'argenterie.

Jacoba passa une main sur sa hanche et ses longs doigts effleurèrent la soie écarlate qui moulait sa taille fine avant de s'épanouir avec une sensualité subtile en une corolle extravagante autour de ses longues jambes. Les pierres précieuses de son diadème captaient les éclats de lumière et étincelaient de mille feux.

Ces diamants étaient vrais, comme les rubis qui pendaient à ses oreilles et comme ceux du collier : l'ensemble valait une fortune colossale. Mais les montagnes et le lac, ainsi que la Croix du Sud qui se dessinait comme un blason sur le ciel clair de Nouvelle-Zélande, semblaient se moquer des scintillements illusoires qui illuminaient la pièce.

Car à l'intérieur, tout était aussi artificiel que les fourrures qui drapaient le mur derrière elle. De jour, le pavillon exotique luxueux n'était en effet qu'un restaurant qui accueillait les skieurs et les promeneurs à l'arrivée du téléphérique. Quant aux femmes et aux hommes élégamment habillés qui buvaient du champagne d'imitation, ils avaient été engagés pour leur visage aristocratique et leur silhouette élancée.

Comme Jacoba, dont c'était le métier.

Elle touchait des cachets faramineux pour sourire d'un air hautain et séducteur, pour sembler aussi somptueuse et inaccessible que les diamants qui ornaient sa gorge.

— Parfait, dit Zoltan d'une voix rocailleuse. Oui, comme ça, regarde le lac avant de te retourner et de voir ton prince. Je veux une sorte d'émerveillement brusque, suivi par une ébauche de sourire, comme si tu étais enflammée par un irrésistible désir. Tu crois que tu peux me faire ça ?

Jacoba savait qu'on lui avait offert une somme faramineuse pour réaliser ce film publicitaire et que Zoltan avait d'abord voulu engager une vedette d'Hollywood pour jouer son rôle. Fatiguée qu'il s'adresse à elle comme si elle avait cinq ans, elle décida de lui montrer que les mannequins savaient eux aussi jouer avec une caméra.

— Je crois, dit-elle lentement, en tournant la tête pour le fixer avec le regard qu'il voulait.

— Très bien, voyons comment ça marche devant la caméra.

Ignorant le ton sarcastique de Zoltan, Jacoba repoussa un rideau de taffetas factice et reporta son attention sur la vue magnifique.

— Super, dit le réalisateur, sans chercher à cacher sa surprise.

8

Bon, tout à coup tu devines un mouvement de l'autre côté de la pièce, vas-y, regarde… Et là, tu *le* vois. Doucement, maintenant…

Sa voix résonnait et l'empêchait de se concentrer. Peut-être avait-il entendu parler des photographes de mode qui bavardaient sans cesse pour stimuler et inspirer les mannequins. Agacée, Jacoba cessa de l'écouter.

Les figurants jouaient leur rôle, bavardant, flirtant et riant doucement. Elle laissa ses yeux dériver sur la foule, se diriger lentement vers la porte du fond, afin d'y découvrir l'homme qui était censé entrer…

En réalité, personne ne devait entrer. En effet, Sean Abbott, l'acteur qui jouait le rôle, était cloué au *Lodge* avec une grippe intestinale. Ils avaient donc décidé de filmer les scènes où il n'apparaissait pas, et d'utiliser une doublure au moment où il était supposé danser avec elle.

Mais à sa grande surprise, Jacoba vit un homme apparaître dans l'encadrement de la porte. Leurs regards se croisèrent. En proie à une sorte de vertige, elle sentit un frisson fiévreux parcourir son dos tandis que ses doigts se resserraient sur le rideau.

Non, ce n'était certainement pas la doublure !

Grand et élégant dans un smoking noir qui contrastait avec une chemise d'un blanc immaculé, le nouvel arrivant se déplaçait avec une énergie souple et maîtrisée. Jacoba sentit sa gorge se serrer tandis que son regard errait sur ce visage méditerranéen aux contours volontaires et sculpturaux, à la peau mate, où étincelaient des yeux clairs, rivés aux siens.

Soudain, tous les bruits alentour s'amenuisèrent jusqu'à ce qu'elle n'entende plus que les battements rapides de son cœur. Le prince Marco Considine d'Illyria s'avançait maintenant, ses traits arrogants concentrés sur elle comme si elle était la seule occupante de la pièce.

Dans un geste de pur instinct, Jacoba couvrit son cœur d'une main gantée, comme pour le protéger du magnétisme extraordinaire qui se dégageait de cet homme qu'elle avait évité avec soin durant les dix dernières années.

— Génial ! s'exclama le réalisateur. Reste comme ça, ne bouge pas… O.K., coupez !

Il se retourna et son expression se durcit.

— Bon sang, qu'est-ce que vous…, commença-t-il avec colère.

Mais il s'arrêta immédiatement quand il reconnut le nouvel arrivant. Sa voix se teinta alors d'une note mielleuse.

— Ah, prince Marco, je ne m'attendais pas à vous voir…

Sa phrase s'acheva en interrogation car il n'osait pas demander franchement au prince ce qu'il faisait là. Ce ne serait en effet guère prudent d'incommoder l'un des hommes les plus puissants du monde… Surtout, songea Jacoba avec cynisme, quand il contrôlait la puissante société de produits de beauté qui dépensait des millions dans la publicité de leur premier parfum.

Le souffle court, elle restait immobile. Elle aurait voulu passer inaperçue, mais comment faire quand on avait une chevelure flamboyante et qu'on mesurait un mètre quatre-vingts sur ses talons ? Et qu'en plus, on portait une robe spécifiquement dessinée pour attirer l'attention ainsi que des bijoux étincelants… Jacoba refoula un mouvement de panique et se concentra sur la conversation entre les deux hommes.

— Je suis descendu au *Lodge* à Shipwreck Bay, dit le prince Marco, d'une voix calme et profonde aux accents anglais. Aussi ai-je pensé que je pourrais venir voir comment les choses se passaient.

Jacoba sentit son estomac se nouer. Elle aussi logeait au *Lodge*…

Mais elle n'était pas en danger, se rassura-t-elle. Comme le reste du monde, le prince n'avait pas la moindre idée de sa véritable identité. Ses parents, acteurs dans le terrible drame oublié qui s'était déroulé en Illyria, étaient maintenant morts. Et beaucoup d'événements s'étaient passés durant les dernières années dans la petite principauté. La police secrète d'Illyria était maintenant dissoute et ses cadres dispersés, si bien qu'elle et sa sœur Lexie n'avaient plus rien à redouter. D'autre part, il était peu probable qu'en ce début de xxie siècle, la vendetta que craignait tant sa mère fasse encore des ravages dans la société illyrienne.

De toute façon, le prince, né et élevé en France, le pays de sa mère, ne se souciait probablement pas de telles coutumes barbares.

Tandis qu'elle lui jetait un regard à la dérobée, elle sentit un frisson la parcourir : Marco Considine avait l'air si viril et puissant qu'il devait croire en la vengeance…

« Ne sois pas idiote », s'ordonna-t-elle, contrariée.

Elle tenta de reporter son attention sur la foule, mais il n'y avait pas d'échappatoire à la force magnétique qui émanait du prince. Non seulement il la dépassait d'au moins dix centimètres, mais sa robuste corpulence et la grâce masculine stupéfiante qui émanait de lui faisaient qu'il dominait littéralement la pièce.

De la structure bien dessinée de son visage se dégageait une formidable autorité. C'était bien un Considine, revendiquant un héritage qui remontait à des âges mythiques.

Jeune frère du grand-duc d'Illyria, qui se situait lui-même dans la hiérarchie juste derrière le prince régnant, Marco Considine avait été élevé dans la fierté de leur illustre famille.

Et par conséquent il était dangereux…

Jacoba respira profondément. Le regard du prince se posa alors sur elle une seconde avant de revenir sur le réalisateur. Cela ne dura qu'un très bref instant et pourtant, elle eut l'impression que ses yeux bleu d'acier avaient pénétré ses secrets les plus enfouis.

Pétrifiée, elle dut résister à un assaut de panique. Il ignorait qu'elle était illyrienne de naissance. A part sa sœur, personne ne le savait. Sauf son vieil ami Hawke, bien entendu, mais il ne

11

le dirait jamais à personne. Grâce à son nom, associé à sa peau claire et à ses cheveux flamboyants, elle pouvait facilement faire croire qu'elle avait des origines écossaises.

Elle se força à quitter les ombres sinistres du passé et se demanda pourquoi le prince portait des habits de soirée. Les vêtements parfaitement ajustés indiquaient un tailleur très talentueux. En effet, la veste mettait subtilement en valeur ses épaules larges et ses hanches étroites tandis que la ligne sobre et pure du pantalon accentuait encore la longueur de ses jambes musclées. Autour de lui, tous les autres hommes ressemblaient à une pâle imitation…

Très bien, se dit-elle avec colère, il était magnifique, vraiment impressionnant. Mais elle avait travaillé avec les plus beaux hommes du monde, et rester muette d'admiration devant lui, comme une écolière, était vraiment stupide.

Affichant sur son visage une sérénité qu'elle était loin d'éprouver, elle se força de nouveau à écouter la conversation des deux hommes.

— J'espère que tout va bien, dit le prince.
— Très bien, assura le réalisateur.

Puis il se lança dans un compte rendu du déroulement du tournage.

Jacoba avait l'habitude d'être prise pour un objet décoratif, mais c'était la première fois qu'elle était si totalement ignorée. « Heureusement que j'ai décidé d'abandonner cette vie », se dit-elle avec irritation.

Elle avait toujours eu l'intention de se retirer à trente ans, c'est-à-dire dans trois ans, mais grâce au cachet extraordinaire qu'elle allait toucher pour cette campagne, elle pourrait s'arrêter tout de suite après. Enfin, une fois qu'elle aurait terminé les deux autres contrats qui restaient…

Malgré leur brièveté, elle percevait dans les propos du prince une intelligence formidable et une détermination farouche qui l'intriguaient. Ce descendant des Considine avait l'air très intéressant, songea-t-elle en jetant un coup d'œil rapide à son visage impérieux et séduisant — et dangereux, se dit-elle vivement.

Comme s'il s'était rendu compte de l'intérêt qu'il suscitait, il tourna ses yeux bleus et froids vers elle. Jacoba y distingua comme une lueur de défi primitif. Elle soutint son regard pendant quelques secondes, avant de se détourner. Mais elle continuait de sentir son attention fixée sur elle.

— Nous n'avons pas été présentés, dit-il alors doucement, avec un soupçon de reproche dans sa voix profonde.

— Excusez-moi, s'exclama aussitôt le réalisateur, je vous présente Jacoba Sinclair.

— Enchantée, monsieur, dit-elle froidement en adressant au prince son sourire le plus distant.

— Mademoiselle Sinclair, répliqua-t-il en prenant sa main.

Puis il la leva presque jusqu'à ses lèvres avant de déposer un baiser formel dans l'air, juste au-dessus du gant.

De la part de n'importe qui d'autre, elle aurait trouvé ce geste insupportablement prétentieux, mais d'une certaine façon, le prince réussit à le transformer en une invitation sensuelle. Un tressaillement parcourut tout son être et elle réalisa qu'elle respirait plus rapidement. Soudain elle eut terriblement besoin d'un grand verre de cet ersatz de champagne pour humidifier sa bouche et sa gorge subitement sèches.

« Oui, il est vraiment dangereux ! » songea-t-elle en se forçant à sourire.

— Je m'appelle Marco Considine, dit-il aimablement quand il se redressa.

Mais ses étonnants yeux bleu pâle étaient directs et déterminés. Et admiratifs. Jacoba ne put empêcher les battements de son propre cœur de s'accélérer.

A côté d'elle, Zoltan semblait mal à l'aise. Le prince Marco ne venait-il pas de lui rappeler qu'il avait tout le pouvoir ? Oh, il avait bien un contrat, mais Jacoba ne doutait pas que le prince y mettrait fin sans pitié s'il le désirait.

Marco Considine reporta son attention sur son interlocuteur.

— Quand pensez-vous avoir terminé ? demanda-t-il.

— Nous devons avoir quitté les lieux demain matin à 6 heures, mais nous aurons probablement fini avant cela. Jacoba comprend les instructions remarquablement vite.

— Vous êtes trop aimable, lui dit sèchement Jacoba.

Elle était prête à parier que le prince avait noté l'acidité de leur échange, mais quand il parla, son ton était absolument neutre.

— Et où est son partenaire ? s'enquit-il. Je croyais qu'il devait y avoir une valse passionnée ?

Zoltan leva la main et soupira.

— Sean Abbott est malade.

Marco Considine fronça les sourcils.

— C'est un problème ?

— Non, dit vivement le réalisateur. Il sera dans tous les gros plans, mais ce soir, nous nous servons d'une doublure et nous filmons les scènes où il n'apparaît pas.

— Cela vous dérange si j'assiste à la suite du tournage ? demanda le prince.

Oui, songea Jacoba, cela la dérangeait profondément, mais elle n'allait pourtant pas protester.

— Pas du tout ! s'exclama Zoltan avec enthousiasme.

Marco observait le remplaçant évoluer avec maladresse sur la piste de danse. Comment pouvait-on être aussi empoté quand on avait la chance d'avoir une telle partenaire ? Peut-être ce type était-il justement perturbé par la beauté et la grâce de la fabuleuse Jacoba Sinclair…

Celle-ci faisait de son mieux pour compenser l'incompétence de son compagnon, mais tous ses efforts ne parvenaient pas à lui donner le sens du rythme. Marco jeta un coup d'œil à sa montre.

— Coupez ! cria soudain Zoltan. Bon, ne vous vexez pas, mais ça ne va pas du tout.

— Elle ne se laisse pas conduire, s'exclama la doublure d'un air renfrogné.

— Puis-je essayer ? dit calmement Marco.

Le réalisateur le dévisagea, sans pouvoir cacher son étonnement.

— Je suis à peu près de la même taille, et si je ne danse pas assez bien, vous pourrez me renvoyer, continua Marco avec amusement.

Il n'avait pas besoin de regarder Jacoba Sinclair pour sentir sa consternation. D'habitude, les femmes se montraient plus qu'empressées avec lui… Peut-être, pensa-t-il, était-elle sincèrement amoureuse de l'homme dont elle était la maîtresse depuis des années, ce Hawke Kennedy, même s'il ne lui était pas fidèle.

— Eh bien, dit le réalisateur d'un air dubitatif, si vous êtes sûr…

— Vous n'avez rien à perdre, dit Marco avec une assurance tranquille.

Il obéissait rarement à de telles impulsions, mais il voulait savoir comment se comporterait Jacoba Sinclair dans ses bras.

— D'accord, voyons comment vous vous débrouillez, dit le réalisateur, cachant sa réticence derrière un sourire presque convaincant. Et souviens-toi, Jacoba, tu es déjà à moitié amoureuse. Je veux de l'émotion, de la sensualité. Montre avec ton corps qu'il n'a qu'à faire un geste pour que tu sois à lui.

Marco vit les joues de la jeune femme se colorer légèrement. Il sourit tandis qu'il sentait une sensation sauvage et intense naître en lui.

Se maîtrisant, il écouta attentivement Zoltan donner ses instructions.

Cela prit plus de temps que Marco ne s'y attendait pour filmer leur lente progression l'un vers l'autre, puis leur rencontre au milieu de la piste de danse. Il trouva le processus laborieux, mais c'était très intéressant de voir comment on effectuait un tournage.

Et Jacoba Sinclair était une professionnelle accomplie.

Heureusement, parce que Zoltan était un perfectionniste, et son attitude envers la jeune femme frôlait parfois l'agressivité. En dépit de cela, elle réussit à satisfaire le réalisateur. Elle était si douée que Marco pouvait presque croire qu'elle brûlait d'une passion subite et incontrôlable pour lui.

En d'autres termes, elle était une excellente actrice, pensa-t-il. Car il savait qu'il n'y avait rien de personnel dans ses regards épris et ses sourires charmés. Pourtant, il sentait une tension en elle, et il était sûr qu'elle n'était pas due au seul réalisateur.

Marco se demanda si Zoltan avait essayé de la séduire et avait été repoussé.

Surpris par l'assaut de colère froide que cette pensée provoquait en lui, il se concentra sur ce qu'on lui disait de faire.

— Très bien, ça ira, dit le réalisateur. Maintenant, on passe à la danse elle-même.

Marco tendit son bras, Jacoba y posa la main et avança d'un pas fluide à son côté vers le milieu de la piste. Puis elle vint dans ses bras avec un bruissement soyeux et un parfum léger, divinement féminin, qui vint titiller ses narines. Son corps mince et gracieux s'ajustait parfaitement au sien.

Il dut lutter contre une montée de désir si intense qu'elle le désarçonna presque. A ce moment, les musiciens entamèrent une valse qui rappelait les salles de bal victoriennes.

Figée dans une expression impénétrable, Jacoba regardait obstinément par-dessus son épaule. Il ne bougea pas jusqu'à ce qu'elle tourne vers lui un visage confus, et quand il lui sourit, il vit un éclair illuminer ses magnifiques yeux gris.

— Détendez-vous, murmura-t-il. Nous sommes amoureux, ne l'oubliez pas.

Une teinte vive enflamma sa peau d'ivoire et sa bouche pulpeuse se contracta. Sans lui donner le temps de parler, Marco l'entraîna dans la danse. Il avait appris à valser grâce à sa mère française et Jacoba Sinclair le suivit avec grâce, levant son beau visage vers lui avec une expression qui simulait la sensation éblouie et vertigineuse du premier amour.

Mais ses yeux, inquiets comme ceux d'un animal traqué, restaient sur leurs gardes.

— Pourquoi avez-vous essayé de guider ce type ? lui demanda-t-il.

Elle lui jeta un regard perçant, ses yeux gris le défiant derrière l'écran de ses cils épais et noirs. Marco sentit son corps répondre immédiatement et se tendre vers elle, à tel point qu'il faillit manquer un pas. Sans aucun doute soucieuse de satisfaire le réalisateur, elle lui adressa alors un sourire de séduction pure, si éblouissant et empreint d'un tel désir que pendant un instant, Marco souhaita de tout son cœur qu'il fût sincère.

Jusqu'à ce qu'il se souvienne brutalement qu'elle était la maîtresse de Hawke Kennedy. Il ne partageait pas les femmes, et il n'avait pas non plus l'intention de la voler à Kennedy, un ami de son frère Gabe.

Pourtant, il ne pouvait nier que tout son être, troublé et excité par le contact de ce corps sublime, était dévoré par le désir.

— Il faut bien que quelqu'un mène la danse, dit-elle d'une voix légèrement rauque.

— Et il en était incapable ?

Un autre éclair de feu embrasa ses yeux sublimes.

— Il a besoin d'apprendre à jouer le rôle de l'homme, dit-elle tandis qu'une rougeur envahissait ses pommettes.

Ainsi, elle n'avait pas voulu faire de sous-entendu, constata Marco.

— Vous êtes néo-zélandaise, n'est-ce pas ?

Quelque chose assombrit le regard de la jeune femme, mais disparut avant qu'il puisse le déchiffrer.

— Oui, c'est là que je suis née et que j'ai grandi, répondit-elle avec légèreté.

— Vous êtes de la région ?

Il sentit son épaule frémir sous sa main.

— Non, je suis du Nord.

— D'Auckland ?

Sa bouche s'arrondit comme si elle allait lui confier un secret excitant. Il ne devait pas oublier qu'elle jouait la comédie.

— Encore plus loin, dit-elle joyeusement. Je viens du Nord sans hiver, là où les gelées sont rares et où l'humidité règne sans pitié.

— Je ne suis jamais allé là-bas.

L'amusement brillait dans les yeux de la jeune femme. Ils n'étaient pas d'un gris pur et des pépites d'or scintillaient dans leurs profondeurs. Marco ne pouvait s'empêcher de s'émerveiller devant sa beauté. Il se demanda comment Hawke pouvait être infidèle à une femme aussi attirante, et pourquoi elle s'accommodait d'un tel comportement. Elle avait l'air bien trop sûre d'elle et bien trop consciente de sa propre valeur pour se contenter d'une relation aussi frustrante.

Si elle lui avait appartenu, il lui aurait été fidèle, se dit-il farouchement.

Peut-être ses pensées transparaissaient-elles sur ses traits car elle détourna soudain les yeux.

— C'est une partie extraordinaire de la Nouvelle-Zélande, mais, bien sûr, je suis partiale, dit-elle d'une voix de nouveau distante.

— Peut-être pourriez-vous me montrer un jour *votre* Nouvelle-Zélande, continua-t-il d'une voix douce.

Elle faillit trébucher, mais quand il resserra automatiquement son étreinte, elle reprit immédiatement le rythme, le visage impénétrable.

— Peut-être, dit-elle d'une voix égale en lui souriant. Un jour.

Elle semblait fixer ses yeux, mais son regard était arrêté à la hauteur de ses sourcils, et quand il se pencha vers elle, elle détourna la tête.

Les émotions se bousculaient dans une ronde étourdissante en Jacoba. Au-dessus des larges épaules du prince, elle voyait le réalisateur faire évoluer les autres danseurs sur la piste. Il lui fit une grimace, aussi en déduisit-elle qu'il avait obtenu ce qu'il voulait.

Pourquoi le pauvre Sean avait-il succombé à ce maudit virus ? Lui au moins n'était pas dangereux… En effet, il était si amoureux de sa nouvelle épouse qu'il ne voyait plus les autres femmes. Alors que le prince, lui, était terriblement séduisant… Le corps de Jacoba semblait s'être séparé de sa volonté pour n'en faire qu'à sa guise, vibrant d'un désir violent et exigeant. En fait, réalisa-t-elle avec un petit sursaut, elle ne jouait pas la comédie. Elle désirait le prince Marco Considine et son corps faisait en sorte qu'elle le sache.

Zoltan se mit à gesticuler.

— Je crois qu'il veut que nous pivotions, dit-elle en regardant Marco. Pouvez-vous le faire ?

Sans répondre, il la serra davantage contre son corps mince et musclé et la fit virevolter, la forçant ainsi à s'appuyer contre lui tandis que les danseurs s'écartaient pour leur laisser la place.

Une sensation sauvage et délicieuse la traversa comme un

éclair de velours, jaillissant de ses seins et s'épanouissant dans le bas de son ventre. Elle tressaillit violemment.

— Vous avez froid ? murmura le prince.

Il la repoussa un peu pour pouvoir la regarder en face.

Froid ? Il savait pertinemment qu'au contraire, elle était en feu, chaque nerf en éveil, chaque cellule affamée et en alerte. Oui, elle était prête à se soumettre à ce plaisir sensuel qui se répandait en elle comme du miel chaud et doux.

Comment des yeux de la couleur de la glace pouvaient-ils la brûler ainsi ? Un soupir lui échappa quand il pencha la tête pour déposer un baiser sur son front.

Le bref contact de ses lèvres envoya un tumulte d'émotions joyeuses et triomphantes résonner au plus profond d'elle-même. Jacoba eut la soudaine impression que ces émotions repoussaient loin d'elle le souvenir de la voix effrayée de sa mère : « Jamais. N'avoue jamais que tu es illyrienne. C'est la seule façon de rester sauve. Promets-le-moi. »

Inondée par le plaisir, Jacoba ferma les yeux et laissa reposer sa tête une seconde sur l'épaule du prince, trouvant une sorte de refuge dans sa force et sa puissance viriles.

Soudain, le réalisateur rompit le charme.

— Génial ! cria-t-il avec enthousiasme, continuez comme ça.

Beaucoup plus tard, le téléphérique les déposa au bas des pentes recouvertes de neige. A l'est, la promesse de l'aube éclairait de rose pâle le sommet des montagnes. Vêtue d'un pantalon confortable et d'une veste chaude, Jacoba bâilla, épuisée et pourtant tenue en éveil par l'homme qui se tenait à côté d'elle.

Pourtant, elle allait bientôt s'effondrer, elle le savait. En effet, cette excitation fiévreuse s'évanouirait dès qu'elle aurait atteint sa chambre.

2.

Bien que le tournage ait dû être ennuyeux pour lui, Marco Considine n'avait pas du tout l'air fatigué.

L'examinant à la dérobée dans la lumière pâle de la lune, Jacoba remarqua que les traits arrogants de son visage semblaient plus prononcés après cette nuit blanche, mais que son énergie et sa sensualité étaient toujours bien présentes.

Tremblante, elle regarda au loin, ses yeux passant sans les voir sur les contours des montagnes de l'autre côté du lac. Elle avait l'impression que son corps gardait l'empreinte de celui de Marco — qu'elle n'oublierait jamais les effluves masculins et légers qui émanaient de lui.

Un peu plus loin, plusieurs bus et une voiture attendaient.

— Par ici, dit Marco en la prenant par le bras.

Jacoba hésita.

— Le réalisateur…

— Une autre voiture va venir chercher Zoltan, dit-il calmement.

Il fit un geste vers la route, où un véhicule approchait.

— D'ailleurs, la voici.

Une note implacable dans sa voix l'avertit que ce n'était pas la peine de protester davantage, aussi avança-t-elle docilement vers la voiture.

Après avoir adressé un salut de tête au prince, le chauffeur du *Lodge* ouvrit la portière à Jacoba.

— Bonsoir, monsieur. Bonsoir, mademoiselle Sinclair. Tout va bien ?

— Je l'espère, répondit le prince tout en se glissant sur le siège arrière à côté de Jacoba.

Elle essaya de calmer le rythme rapide de son pouls tandis que la voiture se dirigeait vers le *Lodge*. Pourtant, elle était sûre que le prince était trop sophistiqué pour tenter quoi que ce soit devant son chauffeur. Et puis, après avoir repoussé les avances de tant d'hommes qui la considéraient comme une proie, elle aurait dû lui être reconnaissante de sa réserve.

Ils roulèrent en silence jusqu'à ce que le *Lodge* se dresse avec élégance devant eux à côté des eaux noires du lac.

Marco insista pour l'accompagner jusqu'à sa chambre, et tint même à insérer sa clé dans la serrure.

— Je ne suis pas si fatiguée que ça, protesta-t-elle, tout en trouvant étrangement agréable de se laisser dorloter.

Il lui décocha un sourire laconique et lui rendit sa clé.

— Si, vous l'êtes. Il y a des ombres en dessous de ces beaux yeux brumeux.

Son ton était amusé, mais elle vit une lueur derrière ses cils qui envoya un frisson d'excitation à travers son corps. Il y avait quelque chose dans son attitude qui lui faisait penser à un prédateur.

— Je sais que Zoltan vous a déjà remercié de votre aide, dit-elle précipitamment, mais je vous suis sincèrement reconnaissante.

Elle ajouta en souriant.

— Mes orteils le sont aussi !

Il haussa les épaules.

— Parmi tous ces figurants, Zoltan aurait bien trouvé quelqu'un qui sache danser convenablement. D'ailleurs, pourquoi ce remplaçant a-t-il été engagé, puisque lui, manifestement, en était incapable ?

Parce qu'il était le petit ami de Zoltan… Mais en dépit de l'attitude du réalisateur, Jacoba ne voulait pas lui causer d'ennuis.

— Il avait la taille adéquate, ce qui n'est pas le cas de beaucoup d'hommes, dit-elle simplement.

Le prince inclina légèrement la tête mais Jacoba ne put déchiffrer l'expression de ses yeux clairs.

— Cela a été une nuit très instructive pour moi, dit-il avec un sourire énigmatique.

Jacoba dut réprimer le désir violent de lui demander s'il serait au *Lodge* quand elle se réveillerait. Elle répondit brièvement à son sourire et pénétra dans sa suite.

— Bonne nuit, dit-elle après s'être retournée.

Elle vit ses yeux s'assombrir et pendant un fol instant, elle pensa qu'il allait l'embrasser. Son cœur s'accéléra dans une anticipation sauvage et délicieuse, jusqu'à ce que l'expression de son regard se durcisse et qu'il recule d'un pas.

— Bonne nuit, Jacoba.

Avant de faire un geste stupide, par exemple tendre la main et l'attirer dans la pièce, elle ferma vivement la porte et s'adossa au vantail, son pouls battant à toute allure comme si elle venait d'échapper à un grand danger.

Dans la voiture, elle s'était demandé s'il éprouvait le même enchantement qu'elle. Maintenant, elle connaissait la réponse et cette découverte était à la fois vertigineuse, grisante et terrifiante. Pour la première fois de sa vie elle souhaitait être moins prudente. Son instinct de femme lui disait qu'il serait un amant superbe… Mais soudain, elle se souvint qu'elle en savait déjà assez sur ses prouesses sexuelles.

Des années auparavant, elle avait participé à un tournage avec une fille qui se remettait difficilement d'une aventure avec le prince Marco Considine. La pauvre, elle avait été rejetée, de

23

la manière la plus inélégante, quand elle avait malencontreusement laissé échapper qu'elle l'aimait. Le prince, semblait-il, avait clairement affirmé dès le début de leur relation qu'il n'était pas question d'amour.

Et en plus d'être allergique aux engagements, n'était-il pas illyrien…

Jacoba se dirigea vers la salle de bains. Et un quart d'heure plus tard, elle s'écroula sur son lit. Mais avant de trouver le sommeil, elle dut se concentrer pour se détendre et chasser les pensées qui se précipitaient dans son esprit. Sa dernière pensée fut une question vague, à peine formulée…

Après toutes ces années et la mort du dictateur qui avait fait trembler l'Illyria, les terreurs et les avertissements de sa mère n'étaient sûrement plus fondés. Cela signifiait-il qu'elle et sa sœur n'avaient plus rien à redouter ?

— Comment fais-tu ?

Jacoba leva les yeux de son bol de muesli. Il était bien plus de midi, mais le *Lodge* lui avait néanmoins servi un petit déjeuner sur la terrasse attenante à sa chambre.

— Que veux-tu dire ?

Mère Tanipo jeta un coup d'œil à son assiette.

— Pour manger autant et rester aussi mince ?

— C'est une question d'hérédité, lui dit Jacoba.

Sa compagne soupira.

— Et comment réussis-tu à avoir une aussi bonne mine sans maquillage, les cheveux noués en queue-de-cheval comme une gamine, et après seulement six heures de sommeil ?

— Ça, c'est une question de chance, répondit Jacoba d'un ton léger. Tu devrais prendre un verre de lait écrémé pour accompagner ton toast, et un fruit.

Mère fronça les sourcils.

— On dirait ma mère.

— Tu devrais l'écouter, dit gaiement Jacoba, c'est stupéfiant, tout ce qu'elles savent. La mienne nous répétait souvent : « Petit déjeuner de roi, déjeuner de prince et dîner de pauvre. » Ça marche, je t'assure.

Mère se redressa et regarda par-dessus l'épaule de son amie.

— A propos de prince, dit-elle, les yeux brillants, le tien vient juste d'apparaître. Il traverse la pelouse comme s'il possédait le monde entier.

— Ce n'est pas *mon* prince, répliqua Jacoba avec fermeté, espérant que la chaleur de ses joues n'allait pas trahir son trouble.

Sa compagne éclata de rire.

— Il aimerait bien l'être ! C'était évident, hier soir. Bon, il faut que je fasse mes bagages. A plus tard Jacoba, et merci pour les conseils, dit-elle en bondissant sur ses pieds.

— Ce n'est rien, dit Jacoba, mal à l'aise.

Elle essaya de finir son muesli tandis qu'elle sentait tous ses nerfs vibrer fiévreusement. Quand le prince Marco s'arrêta à côté de sa table, elle leva lentement les yeux vers sa haute silhouette.

La première pensée qu'elle eut en le regardant la choqua. A quoi ressemblerait-il sans le jean bien coupé et la chemise en coton qui était exactement de la couleur de ses yeux ? Seigneur, elle était sûre qu'il était beau comme un dieu, et que la musculature élégante qu'elle remarquait à travers ses vêtements jouait sous la peau souple, mate et satinée…

— Bonjour, dit-elle, soudain reconnaissante envers les petites politesses qui facilitaient la communication insignifiante de tous les jours.

Il la dévisagea avec un sourire ironique.

— Bonjour Jacoba, puis-je me joindre à vous ?

— Bien sûr, répondit-elle.

Nonchalamment, Marco Considine s'assit en face d'elle et la regarda avec ses yeux bleus si troublants.

— J'espère que je n'ai pas chassé votre amie.

— Non, elle a un avion à prendre.

S'ils pouvaient s'en tenir à ce genre de conversation, tout irait bien…

— C'est elle qui portait la robe blanche, l'ingénue, en opposition à votre personnage sophistiqué d'hier soir, n'est-ce pas ?

Avec horreur, Jacoba sentit un affreux accès de jalousie l'assaillir à l'idée que Marco se souvenait de Mere.

— Oui, dit-elle.

— Et vous, quand partez-vous ?

Où voulait-il en venir ?

— Cet après-midi, dit-elle en jetant un coup d'œil à sa montre-bracelet. Dans trois heures exactement.

Il s'appuya au dossier de sa chaise.

— Je vais à Tahiti pour une semaine.

— C'est une charmante destination, répondit-elle prudemment.

— Venez avec moi.

Devant sa proposition franche et brutale, Jacoba se trouva totalement décontenancée. Dans ses yeux, elle ne voyait rien que de la spéculation froide, comme si elle était un bel objet qu'il voulait et pouvait s'offrir. Une *chose* avec laquelle il pourrait jouer jusqu'à ce qu'il en soit lassé et qu'il la rejette avant d'en choisir une autre.

Elle dissimula le bouillonnement de ses émotions derrière un sourire léger.

— Vous êtes très aimable, dit-elle calmement, mais j'ai d'autres projets.

Elle n'était pas dénuée de cervelle et n'avait pas la moindre envie de lui offrir son corps pour une brève aventure.

Mais il ne la lâchait pas des yeux et son regard pénétrant la déstabilisait.

— Etes-vous amoureuse de Hawke Kennedy ?

— Vous êtes très indiscret, dit-elle sèchement.

Ainsi, il croyait les commérages qui couraient sur sa relation avec l'homme qui était son ami le plus proche, la seule personne au monde, à part sa sœur Lexie, qui connaissait son passé.

Les yeux de Marco se rétrécirent encore davantage.

— La nuit dernière, vous avez répondu à mon étreinte. Vous ne le vouliez pas, mais vous n'avez pas pu vous en empêcher. Cela ne ressemble pas à une femme qui est amoureuse d'un autre homme.

— C'est du harcèlement et nous avons des lois contre cela en Nouvelle-Zélande, riposta-t-elle avec véhémence.

— Ou suis-je trop proche de la vérité ? C'est lui le propriétaire du *Lodge*, n'est-ce pas ?

— Et alors ? s'exclama-t-elle.

— Alors… est-ce qu'il paie votre séjour ?

Offusquée, elle le toisa avec mépris.

— Non, dit-elle d'une voix glaciale. Figurez-vous que c'est votre société qui paie tous les frais. De plus je trouve cette conversation déplacée et offensante.

Alors qu'il aurait dû être embarrassé, il semblait simplement amusé.

— Je n'avais pas soupçonné que vous étiez si prude, dit-il d'un ton cynique.

— Le fait de m'insulter, rétorqua-t-elle, ne me fera pas céder à votre proposition.

Il haussa les sourcils tout en soutenant son regard avec un air de défi si froid qu'elle se sentit frémir. Puis, avant qu'elle ait eu le temps de reculer, il se pencha en avant et prit sa main.

Le contact de sa peau chaude et douce la traversa comme une

décharge électrique. Eperdue, Jacoba le regarda tandis que son corps vibrait d'une onde violente et voluptueuse qui la terrifiait.

Marco porta sa main à ses lèvres et en embrassa la paume, s'attardant en une caresse sensuelle. De petits frissons sauvages et exquis descendirent le long de son dos et son esprit bascula… La seule chose qui comptait, c'était la bouche de Marco Considine contre sa peau.

Elle essaya de refermer le poing. Un sourire espiègle se dessina sur la bouche du prince et il laissa ses doigts glisser sur la veine de son poignet.

Jacoba se mordit la lèvre et libéra enfin sa main.

Cette fois il la laissa faire, mais pas avant qu'elle ait vu la lueur de satisfaction dans ses yeux.

Les pupilles écarquillées, elle l'observa tandis qu'il se levait en un mouvement gracieux et souple. Mais son répit fut de courte durée, car il vint à côté d'elle et se pencha pour embrasser sa bouche entrouverte. Jacoba voulut résister, mais son corps s'enflamma aussitôt.

Haletante, elle tenta néanmoins de se dégager mais Marco profita de sa tentative désespérée pour approfondir son baiser. Doucement, langoureusement, sa bouche goûtait la sienne.

Un instant plus tard, Jacoba se retrouva debout et dans les bras de Marco, qui se refermèrent sur elle. Quand il quitta ses lèvres et la regarda dans les yeux, Jacoba se sentit entraînée dans un tourbillon vertigineux. Malgré elle, elle leva une main pour la poser sur sa joue. A ce moment, il embrassa le coin de ses lèvres, puis le lobe de son oreille, et enfin l'endroit où son pouls battait violemment sur son cou.

Soudain, l'autre main de Marco entoura son sein. Elle sentit aussitôt une onde de plaisir vriller au plus profond d'elle-même et se répandre dans tout son être en une marée incandescente.

Jacoba ne se reconnaissait plus. Elle avait toujours été si prudente avec les hommes, se confiant seulement à Hawke, qui était presque un frère pour elle. Jamais auparavant elle n'avait ressenti cette excitation brûlante, cette ivresse…

« C'est seulement du sexe, tentait de résonner une petite voix en elle. Rien de sérieux, juste une attraction animale idiote. »

Ses seins étaient tendus et sensibles sous la caresse lente et experte. Dans le creux de son ventre, elle eut l'impression qu'une sorte de barrière cédait et qu'un désir se déployait sans retenue avec une avidité insoupçonnée…

Alors, Marco l'embrassa comme si elle était l'autre moitié de lui-même, comme s'ils allaient se séparer et ne jamais se revoir… Mais soudain, il s'arrêta et la lâcha brusquement.

— Je dois avoir perdu la tête ! s'exclama-t-il d'une voix rauque.

Stupéfaite et choquée, Jacoba inspira profondément et passa une main tremblante dans ses cheveux. Il devait avoir ôté le ruban qui les retenait et elle ne s'en était même pas rendu compte !

— Nous l'avons perdue tous les deux, dit-elle aussitôt.

Il la regarda, les yeux durs et sévères.

— Tout va bien, personne ne nous a vus, reprit-il d'une voix glacée et formelle. Je suis désolé.

Horrifiée, Jacoba se rendit compte qu'elle s'était tellement abandonnée qu'elle avait oublié le monde qui les entourait et la présence d'éventuels témoins.

— J'espère que vous apprécierez Tahiti, dit-elle d'une voix qu'elle essaya de rendre légère et moqueuse.

Il lui adressa un sourire bref et dénué d'humour.

— Et moi, j'espère que vous ferez un agréable voyage, quelle que soit votre destination. Mais n'oubliez pas ceci : maintenant que je sais que vous partagez mon désir, je n'ai pas l'intention de renoncer à vous.

Le cœur bondissant dans sa poitrine, Jacoba resta muette.

— Vous avez peur. Pourquoi ? ajouta-t-il brusquement.

— Je n'ai pas peur ! dit-elle avec colère. Je ne collectionne pas les aventures, c'est tout.

Avec étonnement, elle l'entendit éclater d'un rire sincère.

— Moi non plus, lui dit-il, l'air réellement amusé.

— Et je méprise les hommes qui croient avoir un droit sur toutes les femmes qui leur plaisent, ajouta-t-elle sans réfléchir.

— Dites-moi sans mentir que vous ne me désirez pas.

Jacoba se sentit rougir.

— Je ne vais pas au lit avec chaque homme que je désire. Je les choisis.

— Moi aussi, dit-il calmement. Mais vous venez d'être très claire : vous me désirez. Néanmoins vous n'allez pas mettre fin à une relation malsaine avec Hawke Kennedy pour quelque chose d'authentique, n'est-ce pas ?

— Vous ne savez rien de ma relation avec Hawke, rétorqua-t-elle.

— Je sais qu'il ne vous est pas fidèle, et qu'il n'y a donc aucune confiance entre vous. Et je sais aussi que vous semblez vous contenter d'attendre qu'il vous revienne chaque fois.

Tout en parlant, Marco se demandait pourquoi il se donnait la peine d'insister. Il pouvait posséder toutes les femmes dont il avait envie. Celle-ci, de toute évidence, ne voulait pas de lui, alors, pourquoi ne laissait-il pas tomber ?

Pourtant il lui plaisait, elle ne pouvait le cacher. Il sourit dans son for intérieur. D'autres femmes l'avaient désiré et il les avait ignorées. Diable, certaines avaient même confessé qu'elles l'aimaient, et il avait rompu aussitôt avant de les faire souffrir davantage. Il n'avait jamais demandé autre chose qu'un plaisir partagé.

Et il n'avait jamais chassé sur les terres d'autrui…

A présent, cette créature superbe le regardait avec ses yeux extraordinaires, gris et impénétrables comme de la brume.

30

Pourquoi tenait-elle tant à nier le magnétisme physique qui circulait entre eux ?

— Maintenant, partez, s'il vous plaît, dit-elle froidement.

Tout à coup, une volonté impérieuse bouillonna en lui. Marco savait parfaitement qu'elle avait le droit de repousser ses avances et que la forcer ne rimait à rien, pourtant, il devait faire un effort terrible pour ne pas s'emparer d'elle et lui faire l'amour jusqu'à ce qu'elle reconnaisse qu'elle était dévorée par le même désir, la même fièvre enivrante qui ravageait tout son corps.

— Bien sûr, dit-il d'un ton distant, tandis que son cerveau fonctionnait à toute allure.

Il regarda le beau visage, vit une lueur indéchiffrable dans les profondeurs de ses yeux, et de nouveau dut refouler l'instinct primitif de la posséder malgré son refus.

Après avoir tendu la main pour caresser sa joue, il observa la confusion envahir ses traits. Il y avait d'autres moyens d'obtenir ce qu'il voulait. N'était-il pas un expert en stratégie ? Mais en touchant sa peau douce, toutes les tactiques s'envolèrent et un désir pur le conduisit à l'embrasser encore une fois.

Jacoba ne tenta pas de se dérober, savourant à l'avance la douceur de ses lèvres. De toute façon, ce serait la dernière fois qu'elle l'embrasserait, elle en était certaine.

Aussi lui abandonna-t-elle sa bouche sans réserve et elle lui rendit son baiser avec un plaisir non dissimulé. Mais il finit par lever la tête et plongea des yeux déterminés et remplis de désir dans les siens.

— Si vous avez besoin de moi, dit-il d'une voix calme et posée, appelez-moi.

— Excellente sortie, dit-elle d'un ton moqueur. Vous serez facile à joindre, je n'en doute pas.

Impossible à joindre, voulait-elle dire, et il le savait.

— Appelez n'importe lequel de mes bureaux et on vous mettra aussitôt en contact avec moi.

Puis il se détourna et s'éloigna, le soleil jetant des reflets noir bleuté sur sa tête fière, sa haute silhouette se mouvant avec la souplesse et la grâce d'un félin.

Totalement déconcertée, Jacoba se rassit en tremblant et se força à détourner le regard. Mais ce fut plus fort qu'elle, elle tourna la tête. Trop tard, le prince avait déjà disparu au coin du bâtiment. La frustration et un sentiment étrange de désolation l'envahirent.

Ainsi, elle avait rencontré l'un des Considine. Les mains tremblantes, elle se versa une tasse de thé et essaya de rassembler ses esprits. Mais elle dut la reposer tant elle tremblait.

« Ce type est arrogant, impitoyable et capricieux », se dit-elle avec fermeté. Et aussi très séduisant. Et très sexy. Jamais un homme ne l'avait troublée à ce point, elle était bien forcée de l'admettre.

Mais elle savait qu'elle ne devait jamais revoir Marco Considine. Oh, ils se rencontreraient de nouveau lors du lancement de la campagne de publicité, probablement, mais elle était sûre qu'il aurait trouvé quelqu'un d'autre d'ici là, et elle n'aurait alors plus rien à craindre.

Laissant la tasse pleine sur la table, elle se leva et rentra dans sa suite.

Jacoba avait accepté de participer à la Semaine de la mode de Nouvelle-Zélande pour un cachet qui fit hurler son agent.

— Je leur dois bien cela, avait plaidé Jacoba, ce sont eux qui m'ont donné ma première chance.

— Il y a onze ans ! Et chaque année tu retournes travailler pour eux à un tarif ridicule ! soupira Bella. Tu es trop loyale, c'est ça, ton problème.

— C'est ce que tu ne cesses de me répéter.

32

— Et j'ai raison, comme d'habitude. Dis donc, tu pars en vacances après la Semaine de la mode, n'est-ce pas ?

— Oui, je vais passer huit jours fantastiques dans une bach tout au nord de la Nouvelle-Zélande.

— Une *bach* ? Qu'est-ce que c'est que ça ?

— C'est une cabane de bois sur la plus belle plage du monde.

Son agent soupira de nouveau.

— Alors, tu vas vivre comme une sauvage, et on ne pourra même pas te joindre sur ton mobile, c'est ça ? Vraiment je ne te comprends pas.

Elle avait vraiment bien fait d'acheter cette ferme délabrée, songea Jacoba. Située à des kilomètres de tout, c'était en effet son refuge. Quand elle aurait honoré ses engagements, elle ferait construire une nouvelle maison et s'installerait dans cet endroit qu'elle adorait.

Elle leva les yeux de l'écran de son ordinateur portable et soupira avec ravissement tandis qu'elle contemplait la courbe de la plage de sable rose doré. Elle aurait pu aller chez Hawke, plus au sud dans la Bay of Islands, mais elle désirait un peu de solitude.

Quoi qu'il en soit, elle avait maintenant besoin de nager. En effet, elle écrivait depuis 4 heures du matin et elle en avait assez.

Elle se leva et scruta la baie. La semaine précédente, un orage avait amené des bancs de varech le long de la côte, et comme elle n'aimait pas beaucoup nager dans les écheveaux filandreux et collants, elle n'avait pas mis les pieds dans la mer. Mais aujourd'hui, le soleil brillait au-dessus d'une eau bleue et sereine, sans la moindre trace d'algues à la dérive.

Grâce à son ordinateur portable, elle pouvait travailler n'importe où. Elle avait ainsi passé les dernières heures installée dans un transat en dessous de l'un des immenses pohutukawas qui dispensaient leur ombre généreuse sur la plage.

Après avoir sauvegardé quelques pages du roman qu'elle écrivait, Jacoba remonta l'ordinateur vers la bach constituée d'une seule pièce. C'était seulement le premier jet, aussi ne s'inquiétait-elle pas encore trop de la qualité de ce qu'elle avait rédigé. Tout ce qu'elle savait, c'était qu'elle avait l'histoire en tête depuis si longtemps qu'elle avait l'impression que si elle ne la couchait pas par écrit maintenant, elle pourrait la perdre.

Et, comme ses deux précédents livres, destinés à la jeunesse et publiés sous un autre nom, avaient reçu de bonnes critiques, elle savait au moins qu'elle était douée pour l'écriture.

Tout en bâillant avec volupté, elle enfila un Bikini. Elle nagerait le long de la baie, prendrait une douche, et déjeunerait avant de faire la sieste. Sous le pohutukawa, songea-t-elle avec ravissement, heureuse de ne pas avoir à partager la plage avec quiconque. Chantonnant joyeusement, elle attrapa une grande natte et sa serviette.

Mais une fois qu'elle eut étendu la natte sur le sable, ses paupières devinrent si lourdes qu'elle décida de s'allonger un moment au soleil. Un rêve l'emmena aussitôt rejoindre l'homme qui avait tourmenté son sommeil depuis qu'elle l'avait laissé s'éloigner à l'autre bout du pays…

Il prononçait son prénom avec des accents tendres, et lui souriait. Puis il tendait les mains vers elle, et cette fois, elle n'avait plus peur. Mais quand elle voulait le rejoindre, l'air s'épaississait soudain et elle se retrouvait en train de reculer sans pouvoir s'en empêcher, loin, toujours plus loin…

A la fin, quand elle s'effondrait sur le sol parce qu'elle ne pouvait plus lutter contre l'obstacle invisible, il se détournait et lui disait durement : « Il est trop tard », avant de disparaître.

Des larmes perlant au bord de ses cils, Jacoba se réveilla en sursaut.

— Oh, pour l'amour de Dieu ! lança-t-elle avec colère.

Elle se leva aussitôt d'un bond, furieuse contre elle-même, et descendit la plage en courant pour aller se jeter dans l'eau.

Avec détermination, elle nagea sur toute la longueur de la plage. Mais, bien que ce soit la fin du printemps et que l'eau soit chaude, elle se rendit compte qu'elle frissonnait. Consciente des risques qu'il y avait à nager seule, elle revint vers le rivage.

Tout d'abord, elle crut que le son de l'hélicoptère était celui du moteur d'un bateau et elle se tourna pour scruter la mer. Les pêcheurs étaient rares dans cet endroit isolé de la côte. Mais bientôt, elle réalisa que le bruit s'approchait bien trop vite pour provenir d'un bateau. Et à ce moment, le ronronnement de l'hélice se fit plus précis.

Mal à l'aise, elle observa l'engin descendre et survoler les collines qui abritaient la baie. Il était trop tard pour remonter à la bach. Et elle portait un Bikini bien trop minuscule pour recevoir des étrangers, songea-t-elle avec une appréhension grandissante.

35

3.

Jacoba se redressa dans l'eau, regardant l'hélicoptère faire demi-tour et se diriger vers la plage. Hawke, songea-t-elle avec panique, ce devait être Hawke. Quelque chose était-il arrivé à Lexie ?

Non. Le bon sens lui dit que les angoisses de sa mère, Ilona Sinclair, étaient enracinées dans le passé. Le nouveau chef d'Etat, le prince Alex, avait rendu la liberté à son pays et guidé son peuple sur le chemin de la démocratie et de la modernisation. Lexie et elle n'avaient plus rien à craindre.

Alors, qui était-ce ? Elle repoussa sa chevelure en arrière tandis qu'une excitation folle se déversait dans ses veines. L'hélicoptère descendit au-dessus d'elle pour aller se poser sur le sable. Elle avança pour s'arrêter finalement, l'eau à mi-cuisse. La portière du passager glissa et un homme en sortit, grand et mince. Puis il courba la tête et passa rapidement sous l'hélice.

Le cœur de Jacoba se contracta douloureusement. Combien de fois, depuis qu'elle avait quitté le *Lodge*, avait-elle cru voir une tête sombre fièrement dressée au loin et senti son cœur bondir, avant de se retrouver frustrée et déçue ?

Cette fois, cependant, elle était sûre que c'était le prince. Quelque chose en elle prit feu dans une formidable incandescence. Elle eut soudain l'impression d'être complètement nue, mais elle ne pouvait se cacher nulle part.

À ce moment, le moteur de l'hélicoptère changea de registre et, incrédule, elle le vit s'élever au-dessus de la plage pour retourner vers le monde civilisé.

Hébétée, elle restait immobile. Les vagues caressaient doucement ses cuisses tandis qu'elle regardait fixement Marco Considine, le cœur battant à tout rompre.

Le prince lui sourit et Jacoba se sentit défaillir. Jusqu'à ce que l'hélicoptère ait disparu derrière les collines, les yeux de Marco restèrent rivés aux siens.

Les joues écarlates et le corps en feu, douloureusement consciente que chacun de ses nerfs frémissait dans un mélange stupéfiant d'anticipation et d'appréhension, elle attendit en silence.

— Bonjour, Jacoba, dit-il doucement.

— Qu'est-ce que vous faites ici ?

Quelle était cette voix rauque et lente qui venait de sortir de sa propre gorge ?

— Je suis venu pour vous voir, bien sûr. Nous avons encore besoin de vous pour le film publicitaire.

— Pourquoi ? réussit-elle à demander.

— Les scènes du lac sont inutilisables.

Elle fronça les sourcils.

— Aucune ? On peut sûrement en prendre certaines.

— Quelques plans fixes, probablement, mais le reste n'est pas bon.

— Est-ce le moment de la revanche ? demanda-t-elle avec une froide insolence.

— Je ne travaille pas de cette façon, Jacoba, répondit-il, le visage dur.

— Je sais que le réalisateur voulait engager une actrice pour le rôle…

— Ça ne marche pas, c'est tout, la coupa-t-il. Ce n'est pas votre faute, ni celle du réalisateur. C'est moi qui ne m'intègre pas bien dans l'ensemble. Il faut de nouveau filmer ces scènes.

Il y a un entrepôt à Auckland qui fera l'affaire. Nous avons eu beaucoup de mal à vous trouver.

— Comment avez-vous réussi ?

— Grâce à votre agent, bien sûr, dit-il avec une assurance tranquille.

Evidemment. Personne, absolument personne ne refusait quoi que ce soit à Marco Considine, pensa Jacoba. Non seulement il avait fondé sa propre entreprise avec un succès extraordinaire, mais son cousin Alex, le prince héritier d'Illyria, lui avait cédé son immense affaire quand il avait été rappelé pour prendre le pouvoir, après la mort du dictateur. Marco était maintenant à la tête d'un véritable empire.

— Pourquoi l'hélicoptère est-il reparti ? demanda-t-elle.

Il haussa les sourcils avec ironie.

— Il est allé déposer un autre passager dans un hôtel un peu plus loin sur la côte et il reviendra bientôt. Au cas où vous vous poseriez la question, votre agent a déjà négocié les compensations financières supplémentaires.

Terriblement consciente de sa quasi-nudité, Jacoba raidit les épaules. Lui, bien sûr, était vêtu de vêtements superbes, depuis son pantalon à la coupe impeccable jusqu'à une chemise élégante dont il avait retroussé les manches sur ses avant-bras dorés.

— Bella est une professionnelle, dit-elle brutalement, et moi aussi. Je ferai bien sûr ce qu'il faut pour que la campagne soit un succès. Je serai prête dans quelques instants.

— Je vais vous aider à faire vos bagages.

Jacoba secoua la tête. Quelques minutes plus tôt, elle avait rêvé de lui, et maintenant qu'il était là, elle ne souhaitait qu'une chose, s'éloigner. Il était dangereux, et si elle n'y prenait garde, elle allait se rendre ridicule. La tête si haute qu'elle en avait mal aux épaules, elle avança vers lui.

A ce moment, quelque chose de long et de glissant s'enroula

autour de son mollet. Laissant échapper un petit cri de surprise et de dégoût, elle se souvint trop tard des bancs d'algues.

— Que se passe-t-il ? demanda aussitôt Marco.

— Ce n'est rien, assura-t-elle.

Mais, sans se soucier de ses chaussures ni de son pantalon, il la rejoignit en deux longues enjambées. Puis il la prit dans ses bras et la souleva hors de l'eau.

— Qu'est-ce que c'est ? Sur quoi avez-vous marché ?

— Du varech, murmura-t-elle, se sentant absolument idiote. Je peux marcher, c'était juste un…

Mais il la porta sur la plage et la reposa sur le sable. Là, il la tint quelques instants dans ses bras jusqu'à ce qu'il soit convaincu qu'elle pouvait se tenir debout. Alors, à la grande stupéfaction de Jacoba, il tomba à genoux et passa une main autour de son mollet, cherchant des signes éventuels de morsure ou de piqûre.

Des sensations voluptueuses naquirent aussitôt au creux de son ventre.

— Tout va bien, dit-elle d'une voix qu'elle ne reconnut pas.

Une mouette cria soudain, et son appel résonna étrangement à son oreille. Jacoba eut l'impression que la terre s'était subitement arrêtée dans sa course autour du soleil. Son souffle semblait prisonnier dans ses poumons tandis qu'elle regardait les cheveux noirs de Marco et sa main hâlée sur sa peau. Suspendue dans une sorte d'ivresse étourdissante, elle ne pouvait articuler un mot.

Bientôt, il leva la tête, et d'un mouvement rapide et souple, il se remit sur ses pieds. Puis il lui sourit et elle sut ce qu'il allait faire. Son corps se rendit alors dans une cascade de sensations qui balayèrent toute pensée. Seul subsistait le désir qui brûlait en elle comme un feu sauvage.

Prise de panique, elle posa ses deux mains sur les épaules de Marco et tenta de le repousser, mais elle aurait aussi bien pu essayer de soulever une montagne. Il était solide comme un roc et ses muscles étaient fermes et immobiles sous ses doigts.

— Tout va bien, dit-il, d'une voix douce, avec une assurance tranquille.

Il pencha la tête et l'embrassa. Comme la première fois, toute résolution fut noyée dans un torrent de désir. Jacoba répondit à son baiser, sa bouche fondant sous la sienne comme si elle l'attendait avec avidité depuis qu'ils s'étaient quittés.

Les bras de Marco l'attirèrent contre son corps brûlant. Transpercée par un millier de flèches ardentes, elle frissonna, ses lèvres s'ouvrant et s'abandonnant aux caresses fougueuses de sa langue affamée.

Quelque part au fond de son esprit, des bribes d'avertissements confus réclamèrent son attention mais elle les rejeta avec force, se laissant totalement glisser dans une tourmente érotique où elle ne demandait qu'à se perdre.

Car à présent, la passion qui avait couvé durant de longs jours et de longues nuits, nourrie par une série de rêves et de souvenirs troublants, se libérait de toute entrave et la dévastait sans aucune retenue.

Ce tumulte enivrant mina le peu de volonté qui lui restait. Et, quand la main de Marco trouva le doux relief de son sein, que ses longs doigts l'entourèrent avec une précision exquise, un gémissement monta dans sa gorge.

Ce moment semblait si parfait, comme s'il avait été organisé d'avance, comme si quelque chose s'était mis en place dans sa vie et qu'elle ne serait jamais plus la même… Comme si, enfin, elle avait trouvé son vrai foyer…

Son Bikini devenait soudain trop serré et Jacoba sentait la friction intolérable du tissu mouillé contre ses seins tendus à l'extrême. Quand tout à coup Marco glissa la main sous le haut de son maillot, elle tressaillit violemment.

— Vous n'avez pas besoin de cette jolie chose, dit-il d'une voix basse.

40

Puis il l'ôta en un geste habile et expérimenté, la laissant à moitié nue sous son regard.

Une excitation impitoyable la foudroya. Les yeux de Marco s'aiguisèrent et leur couleur s'intensifia pour prendre l'éclat d'un diamant tandis qu'il examinait ses seins, d'un blanc ivoire sous sa main bronzée. Maintenant, elle n'avait plus qu'un désir : que sa bouche se referme sur les pointes dures et exigeantes de ses seins.

Elle poussa un petit gémissement quand il la souleva pour la porter vers la natte sous le pohutukawa. Les muscles des bras et des épaules de Marco se contractèrent quand il se pencha, et elle se retrouva assise sur ses genoux.

Le visage en feu, elle cacha son visage contre son cou et déboutonna sa chemise. Ses doigts luttaient avec chaque bouton tant elle tremblait.

Enfin, elle caressa les larges épaules de Marco. Elle en avait le souffle coupé — il était absolument magnifique. Une sensualité raffinée se dégageait de son torse sculpté, et son visage anguleux et arrogant s'illumina quand il baissa les yeux sur elle.

Leurs regards se croisèrent en un désir farouche.

— Tu es si belle que ça me fait mal, murmura-t-il.

Le ton de sa voix et le tutoiement annihilèrent le dernier lambeau de résistance. Jacoba tourna la tête et embrassa son épaule, promenant ses lèvres dans un mouvement lent et provocateur. La poitrine de Marco se souleva et elle entendit les battements de son cœur s'accélérer sous son oreille. Transportée par le désir, elle se mit à lécher doucement la peau douce au grain fin et délicat. Son goût subtil l'émerveilla et elle s'abîma dans sa senteur virile.

— Tu est trop belle, continua-t-il comme si c'était un reproche.

— Toi aussi tu es beau, lui dit-elle d'une voix ivre de passion.

Il éclata d'un rire doux et si sensuel qu'elle releva la tête. Alors il se pencha et l'embrassa avant qu'elle puisse dire un mot.

Le baiser fut presque brutal et elle se rendit compte qu'elle le voulait ainsi. Elle y répondit avec fougue, sa langue explorant à son tour sa bouche tandis qu'une excitation folle la traversait.

Quand il posa ses lèvres sur son sein, un tremblement violent agita Jacoba. Puis il poursuivit son chemin vers le téton. Elle sentit des ondulations exquises la parcourir quand, enfin, il prit la pointe dure et dressée dans sa bouche.

Elle entendit alors un son inarticulé passer entre ses propres lèvres. Presque aussitôt, tout en continuant à taquiner de la langue son mamelon, il glissa une main sous la culotte de son Bikini.

— Tu m'ensorcelles, murmura-t-il en français contre la peau soyeuse de ses seins.

Jacoba parlait français, mais de toute façon, elle aurait compris ce qu'il disait. Car, bien que sa voix restât contrôlée, il ne pouvait maîtriser la flamme qui illuminait ses yeux.

— C'est réciproque, chuchota-t-elle dans la même langue.

Il leva la tête, les yeux soudain interrogateurs.

— Comment se fait-il qu'une Néo-Zélandaise parle un si bon français ?

— Ma baby-sitter était française, dit-elle, un peu effrayée.

Marco secoua la tête.

— Plus tard, murmura-t-il contre sa gorge, il faudra que tu m'en dises un peu plus sur ton enfance.

Songeant aux conséquences désastreuses que cela implique-rait, Jacoba baissa la tête. Mais avant qu'elle ait eu le temps de rassembler ses esprits, il l'embrassa de nouveau tandis que ses doigts trouvaient la source de son plaisir.

Avec une habileté délicate, ils s'immiscèrent dans le puits secret de sa féminité en des caresses lentes et délicieuses. Un feu sauvage sembla naître dans chaque cellule de son corps et incendier sa chair.

— Je suis fou de toi depuis que je t'ai vue. Dis-moi maintenant que Hawke Kennedy est ton amant, et je suis capable de m'arrêter, dit-il d'une voix dure.

— Je ne suis pas… il n'est pas…, balbutia Jacoba.

— Pourquoi restes-tu avec lui alors que tu sais parfaitement qu'il ne t'aime pas assez pour t'être fidèle ?

Jacoba sentit ses traits se figer.

— Je n'ai pas à répondre à cette question, dit-elle calmement.

Puis elle s'écarta vivement, se leva et chercha désespérément des yeux le haut de son Bikini.

Aussitôt, Marco se remit debout lui aussi. Et il était en colère, constata-t-elle avec un frisson intérieur.

— C'est parce qu'il est un amant si fantastique que tu lui pardonnes tout ? dit-il brutalement. Parce qu'il t'offre une sorte de stabilité ? Parce qu'il t'y enferme par chantage ?

Quand elle se détourna, il prit son bras et lui fit faire volte-face.

— Est-ce que c'est ça ? demanda-t-il d'une voix rauque.

— Non ! répliqua-t-elle sèchement. Bien sûr qu'il ne me fait pas de chantage ! Et nous ne sommes *pas* amants.

— Juste de bons amis ! dit le prince sur un ton moqueur. Je ne crois pas cette sorte de relation possible entre deux adultes.

— Eh bien cela arrive pourtant, figure-toi, surtout quand on a été pratiquement élevés comme des frères et sœurs. Maintenant lâche-moi ! dit-elle à travers ses dents serrées.

Il s'exécuta, mais seulement pour la prendre dans ses bras. Jacoba respira profondément et ses yeux plongèrent dans les siens, bleus et perçants.

— Frère et sœur ? dit-il.

Puis il lui adressa un lent sourire sensuel qui exacerba son désir. Elle ferma les yeux pour ne plus le voir et réussit à parler d'une voix égale.

— Nous avons grandi ensemble. Comme nos mères étaient seules et devaient travailler, une voisine a pris soin de nous, d'abord toute la journée, puis, plus tard, après l'école et pendant les vacances. Les gens pensaient que nous étions frère et sœur, et nous nous sommes toujours sentis comme cela l'un avec l'autre.

— Regarde-moi, dit-il soudain d'une voix très grave.

Avec réticence, Jacoba leva les paupières pour rencontrer l'intensité de ses yeux cristallins et scrutateurs.

— Pourquoi ne l'avez-vous dit à personne ? demanda-t-il. Vous savez bien que tout le monde pense que vous êtes amants, et qu'on te plaint pour ses infidélités.

— Qui nous croirait ? De toute façon, cela ne regarde que nous, dit-elle brutalement.

— Pourtant tu me l'as dit, à moi.

Jacoba se mordit la lèvre. Oui, elle l'avait fait, et pourquoi ? Elle et Hawke attachaient beaucoup d'importance à leur vie privée et ils avaient toujours trouvé la situation amusante. De plus, leur relation supposée lui avait souvent servi de bouclier contre les prédateurs qu'elle avait rencontrés dans sa carrière. La plupart des hommes qui voulaient l'attirer dans leur lit faisaient en effet attention à ne pas offenser Hawke.

— Pourquoi ? Pourquoi me l'as-tu dit, Jacoba ?

— Parce que tu m'as mise en colère, dit-elle sèchement.

— Ou parce que tu voulais que je sache que tu étais libre ?

— Non ! protesta-t-elle.

Mais il était trop tard et elle comprit qu'elle s'était piégée elle-même.

— N'as-tu pas dit que l'hélicoptère allait revenir d'une minute à l'autre ? demanda-t-elle brusquement.

Bon sang, elle avait raison ! La frustration s'empara de Marco. Comment diable avait-il laissé les choses se passer ainsi ? Il la désirait tellement... Elle avait même réussi à lui faire perdre le contrôle de lui-même qu'il avait toujours possédé, même quand il s'agissait de sexe.

Il s'en voulait d'avoir été assez grossier pour mentionner le nom de Kennedy. Mais au moins, il savait à quoi s'en tenir à présent, se dit-il avec un petit sourire intérieur.

Il regarda Jacoba. Ses lèvres tremblaient, rendues plus pleines et plus passionnées par ses baisers.

— Il faut que j'aille faire mes bagages, dit-elle d'une voix incertaine.

Serrant les dents, Marco refoula un violent assaut de désir. Il vit la couleur affluer sur les joues de la jeune femme, qui se détourna et enfila fébrilement le haut de son maillot.

— Tiens, prends plutôt cela, dit-il en lui tendant la chemise qu'elle lui avait elle-même ôtée des épaules.

Le visage de nouveau écarlate, elle passa la chemise. Il remarqua que ses doigts tremblaient et, afin de s'empêcher d'attirer la jeune femme dans ses bras, il se pencha pour prendre la natte de plage et la serviette.

Quand il eut recouvré son calme, Marco se redressa.

— Tu as raison, nous ferions mieux d'y aller, dit-il d'une voix égale.

Il l'observa tandis qu'ils se dirigeaient vers le petit cabanon de bois. Ses épaules droites et son menton levé lui révélaient qu'elle faisait un terrible effort sur elle-même pour recouvrer sa contenance.

— N'aie pas l'air si effrayée, dit-il d'un ton enjoué. Je ne suis pas une brute, et puisque nous devons travailler ensemble, je voudrais que les choses soient claires. S'il y a une prochaine fois, cela n'arrivera que si tu me montres sans ambiguïté que c'est ce que tu désires.

Les yeux de la jeune femme s'agrandirent, puis ses cils se baissèrent.

— Ne t'en fais pas, tu peux être tout à fait tranquille, dit-elle brusquement.

— Très bien, marché conclu, dit-il.

Il s'arrêta juste au bas des marches qui menaient à la véranda et lui tendit la main en lui souriant d'un air de défi.

Jacoba surmonta sa réticence et lui serra la main. Un frisson parcourut aussitôt son bras, rallumant la flamme qu'elle essayait de refouler. La lueur qui étincela dans les yeux de Marco lui montra qu'il avait senti la même chose et qu'il avait provoqué ce contact dans ce seul but.

Elle serra la mâchoire et s'écarta.

— Si tu veux que je sois prête au moment où l'hélicoptère sera de retour, je dois aller prendre une douche et préparer mes affaires.

— De toute façon, il attendra, répondit-il avec indifférence.

Mais il la lâcha avant de la suivre dans le cabanon.

46

4.

Marco pénétra dans l'unique pièce et regarda autour de lui avec étonnement.

Il n'avait probablement jamais vu un cadre de vie aussi simple, pensa Jacoba, narquoise.

— Tu pourrais m'attendre dehors, pendant que je vais me préparer ? demanda-t-elle en se forçant à prendre un ton aimable.

— Est-ce que tu reviendras ici, après la fin du tournage ?

— Non, dit-elle brutalement.

En effet, cela ne valait pas la peine de refaire le long voyage vers le nord, puisque, dans quelques jours, elle devait aller rejoindre Hawke dans sa maison de Bay of Islands. Il ne verrait sans doute aucun inconvénient à ce qu'elle arrive quelques jours plus tôt que prévu.

— Je pourrais m'installer sous la véranda, dit-il d'une voix suave.

— Je t'en prie, fais comme chez toi, répondit-elle calmement. Moi je vais prendre ma douche.

Pourquoi, oh pourquoi avait-il décidé de venir lui-même ? Les milliardaires qu'elle avait rencontrés auparavant avaient des sous-fifres qui se chargeaient de toutes leurs basses besognes.

— Parce que tu as même une douche ? demanda-t-il sur un ton ironique.

— Bien sûr, répondit-elle sèchement.

47

Elle attrapa quelques vêtements et disparut dans la « salle de bains », souhaitant ardemment pouvoir rester dans le refuge de la douche jusqu'à ce que l'hélicoptère revienne. Mais la seule source d'eau était un vieux réservoir en tôle ondulée derrière la maison, qui se remplissait de l'eau de pluie venant du toit. Pas question de rester trop longtemps sous la douche…

Et puis, elle devait faire ses bagages. Elle effectua donc son habituel gommage rapide et efficace, puis ferma les robinets.

Une fois sortie et séchée, elle enfila un pantalon en coton et une longue tunique en voile vert foncé. Elle rejeta ses cheveux en arrière avant d'appliquer une simple touche de gloss sur ses lèvres.

Marco l'attendait sous la véranda. Quand il la vit, il lui lança un long regard appréciateur que Jacoba fit mine d'ignorer. Elle commença à mettre ses vêtements dans une valise. Même ainsi, le dos tourné, elle sentait sa présence comme… comme une caresse, pensa-t-elle avec colère, claquant la porte de l'armoire.

D'une main ferme, elle prit ses bagages et les porta à l'extérieur.

L'air totalement détendu, Marco était appuyé contre un montant de bois et contemplait la baie. Le doux clapotis des vagues aurait dû couvrir le léger son des pas de Jacoba sur les planches, et pourtant, il se retourna immédiatement.

— Donne-moi cela, dit-il en tendant la main vers son micro-ordinateur.

— Ce n'est pas lourd, protesta-t-elle.

— Est-ce que cette obstination m'est particulièrement réservée ? lui demanda-t-il.

— C'est seulement un ordinateur portable.

— J'ai été élevé dans l'idée qu'une femme ne devrait jamais porter autre chose que son sac à main, dit-il avec un sourire ironique. Ou que son enfant.

Un désir puissant traversa douloureusement Jacoba. Avec

horreur, elle se rendit compte qu'elle imaginait un enfant, *leur* enfant, une petite fille avec les cheveux roux de sa mère et ses yeux gris, et les traits fiers de son père, adoucis par la promesse d'une grande beauté…

Un vrombissement sourd chassa le fantasme. L'hélicoptère revenait rapidement au-dessus des collines.

— Timing parfait, dit Marco avec un sourire irrésistible et calme qui ne parvint pas jusqu'à ses yeux. Allons-y.

Puis il vint vers elle et lui prit le micro-ordinateur des mains.

Ils parvinrent à Auckland en fin d'après-midi et atterrirent sur le toit d'un bâtiment du centre-ville. Jacoba aurait dû apprécier de survoler l'isthme qui s'étalait entre les deux ports jumeaux, l'un s'ouvrant vers l'ouest, sa côte sauvage et ses longues plages de sable noir, et l'autre, à l'opposé, parsemé d'îles. Mais aujourd'hui, elle était totalement incapable de fixer son attention.

— Quand commençons-nous le tournage ? demanda-t-elle quand ils se retrouvèrent dans l'atmosphère confinée de l'hôtel.

— Demain matin. Mais tu as rendez-vous avec Zoltan dans dix minutes, dit-il après avoir jeté un coup d'œil à sa montre.

Il s'était retranché derrière une attitude professionnelle, établissant ainsi une barrière entre eux. Parfait, pensa Jacoba. Et pourtant, elle sentait un regret lui serrer le cœur.

La suite vaste et confortable donnait à l'est, sur le port. Décorée avec goût, il s'en dégageait néanmoins la froideur impersonnelle d'un lieu conçu pour des occupants temporaires.

Elle avait vu trop d'endroits comme celui-ci, songea-t-elle, en regrettant son sanctuaire sur la plage.

Hélas, ce ne serait plus jamais un refuge, se dit-elle soudain : Marco s'était introduit dans son repaire. Et elle ne pourrait jamais plus aller là-bas sans se souvenir de lui, se rendit-elle compte avec un sursaut de désespoir.

— Pourquoi es-tu ici ? demanda-t-elle brusquement.

— Pour faciliter les choses, tout simplement, et…

La sonnerie du téléphone l'interrompit.

— Ce doit être Zoltan, dit Marco, prenant le combiné.

Jacoba lui décocha un regard glacial, qu'il accueillit avec un haussement de sourcils.

Il parla quelques minutes au téléphone avant de raccrocher.

— Dorénavant, je te prierai de ne pas répondre à ma place, dit-elle avec dédain.

— Je suis désolé, c'était une réaction automatique, rétorqua-t-il avec un sourire ironique. Zoltan sera là dans quelques minutes.

Jacoba souhaitait que Marco s'en aille, mais elle ne pouvait pas le jeter dehors. En effet, il avait parfaitement le droit d'assister à cette discussion avec Zoltan.

Aussi prit-elle un air calme et professionnel quand celui-ci entra dans la pièce. Elle essaya de s'adresser à lui avec détachement, tout en essayant de faire abstraction du prince. Hélas, chaque fois qu'elle sentait son regard, son propre corps réagissait aussitôt et elle entendait le rythme rapide de son cœur résonner dans ses propres oreilles.

Une demi-heure plus tard, Zoltan qui, pour une fois, s'était montré très agréable, s'en alla. Jacoba était assise sur le grand sofa et luttait contre un étrange mélange de soulagement et de chagrin.

— Un jour, deux au maximum, avait promis le réalisateur.

— A quelle heure commençons-nous ? avait-elle demandé.

Zoltan avait jeté un coup d'œil au prince, silencieux, avant de s'adresser à Jacoba avec un sourire rusé.

— 6 heures, une voiture viendra te chercher. Alors va au lit de bonne heure, ce soir…

Elle lui avait jeté un regard foudroyant.

— Oui, évidemment.

Et il était parti. De toute évidence, Zoltan pensait qu'elle était la dernière conquête de Marco. Et il avait raison, reconnut-elle en silence, car, bien que le prince ne l'ait pas touchée, elle avait senti une possessivité subtile dans son attitude — qui l'enivrait plutôt qu'elle ne l'ennuyait, elle était bien forcée de l'admettre.

Mais elle avait beau être convaincue ne plus avoir de raisons de redouter les Illyriens, elle n'osait pourtant s'autoriser à se rapprocher de Marco Considine. En effet, elle se sentait toujours liée par la promesse qu'elle avait faite à sa mère sur son lit de mort. Elle ne révélerait jamais qu'elle était illyrienne.

— Merci d'avoir pris la peine et le temps de venir me chercher, dit-elle au prince en se levant.

— Ce n'était rien, dit-il négligemment.

Soudain, Marco souhaita que Jacoba ressemble davantage aux autres mannequins qu'il avait rencontrées par le passé, si absorbées par leur carrière qu'elles avaient peu de temps à accorder à autre chose. Mais Jacoba, elle, était intelligente, et quand elle le regardait avec ces immenses yeux gris, si clairs et pourtant indéchiffrables, non seulement elle envoûtait son corps mais aussi son esprit.

Dangereuse…

Non, il refusait d'accepter cela. Il ne croyait pas aux *femmes fatales*, mais il devait reconnaître qu'elle l'intriguait plus qu'aucune autre femme ne l'avait fait.

A cet instant, son beau visage aux traits nobles était concentré sur lui, et ses cheveux se répandaient comme du feu sur ses épaules. Un désir d'une intensité inouïe l'envahit.

— Une immense somme d'argent est en jeu, finit-il par dire en durcissant sa voix.

— Je sais… Maintenant, si tu veux bien m'excuser, je vais

dîner tôt ce soir. Tu as entendu notre cher réalisateur me donner ses instructions…

— Oui, et il est drôlement impertinent, je trouve, dit le prince brutalement.

Jacoba haussa les épaules.

— Il ne te parlait pas, cela m'était destiné. Les réalisateurs sont des petits despotes, mais il ne va pas s'attaquer à l'homme qui le paie.

Elle traversa la pièce et se dirigea vers la porte.

— Bonsoir, dit-elle d'une voix impersonnelle.

— Dors bien, répondit-il avec insolence, avant de quitter la pièce.

Jacoba tourna la clé dans la serrure et s'appuya contre le mur, essayant de se détendre. Mais aucune de ses méthodes habituelles ne fonctionnait : son corps entier était tendu et vibrait de désir frustré.

Au moins, elle savait que Marco était sincère quand il avait dit qu'il la laisserait tranquille. Elle ne pouvait s'imaginer le prince Marco Considine perdant la tête et forçant une femme. Cette fierté contrôlée était doublée d'une volonté de fer, songea-t-elle, et cette pensée la fit frissonner.

Pour lui, une femme représentait un divertissement, une agréable façon de se détendre. Mais elle devinait qu'il lui ferait l'amour avec la puissance et la grâce qui lui était propres…

Elle ôta ses vêtements et ouvrit les robinets d'eau froide de la douche pour calmer ses nerfs en feu, mais cela s'avéra inefficace pour atténuer le désir qui brûlait en elle.

Comment allait-elle pouvoir oublier ces minutes sauvages et enfiévrées sur la plage ?

Surtout qu'elle allait beaucoup le voir. Une série de réceptions avaient en effet été organisées dans le monde entier pour lancer le parfum, à commencer par un bal de gala à Londres. Elle serait la partenaire du prince à chaque manifestation.

Jacoba se força à manger un peu du repas qu'on lui avait apporté, et prit ensuite son téléphone portable.

— Bonjour, Lexie, comment ça va ?

— Très bien, répondit gaiement la jeune femme. Et ton roman, il avance ?

Jacoba lui expliqua ce qui s'était passé.

— Zut ! dit simplement Lexie. Et ne crois pas un seul instant que ton travail n'était pas bon, c'est le réalisateur qui est nul.

Jacoba sourit.

— Ne t'en fais pas, j'en ai rencontré de pires. Comment ça se passe, en Australie ?

— Génial !

Lexie, qui était vétérinaire et effectuait en ce moment un voyage d'études, bavarda avec enthousiasme pendant un moment.

— Eh bien, je vois que tu es bien occupée ! lui dit Jacoba. Et comment ça va, financièrement ?

— Pas de problème, ne t'inquiète pas. Je suis indépendante maintenant, grâce à toi.

Jacoba avait commencé à travailler comme mannequin à seize ans, quelques années après que leur mère eut manifesté les premiers symptômes de la maladie qui devait finir par l'emporter. Bien que Jacoba ait apprécié le côté glamour de son travail, son but principal avait été de procurer à Ilona Sinclair les meilleurs soins médicaux. D'autre part, elle avait aussi permis à Lexie de suivre sa vocation et de réussir brillamment ses études.

— Tout va bien, Jacoba ? lui demanda alors sa sœur.

— Très bien, répondit-elle.

Mais les mots avaient sonné creux.

— Je vois bien que non... Est-ce que ce prince illyrien est toujours dans le coin ?

— Oui.

Lexie resta silencieuse pendant quelques instants.

— Crois-tu qu'il ait des soupçons ?

53

— Non. Tu sais, quelquefois, je me demande si nous ne sommes pas un peu trop obsédées par nos peurs. Je peux comprendre les craintes de maman, mais les choses ont tellement changé, à présent… Elle était terrifiée par le dictateur et sa police secrète, bien sûr. Mais maintenant que le prince légitime a repris le pouvoir, je ne crois pas qu'elle serait encore inquiète. Je n'ai pas l'intention de dire à tout le monde que je suis illyrienne, mais je ne crois pas que ce serait si terrible si quelqu'un le découvrait.

— Maman a peut-être été un peu parano, mais elle avait de bonnes raisons pour cela, répliqua Lexie.

— Oui, mais Paulo Considine est mort depuis pas mal d'années. Alors, il me semble qu'il n'est plus si nécessaire d'être prudent.

Soudain, elle se rendit compte avec consternation qu'elle voulait que Lexie l'approuve et lui dise qu'elles n'avaient plus besoin de cacher leur héritage illyrien. Et que, inconsciemment, elle ne souhaitait qu'une chose : trouver une excuse pour ne plus se protéger de Marco.

— De toute façon, ce n'est pas important, je me sens entièrement néo-zélandaise, affirma-t-elle avec fermeté.

— Moi aussi, dit Lexie d'un ton catégorique. Toutes ces histoires illyriennes n'ont rien à voir avec moi. Je veux simplement les oublier.

Un peu surprise par la véhémence de sa sœur, Jacoba jeta un coup d'œil au réveil posé sur la table de nuit et fronça les sourcils quand elle vit l'heure.

— Tu as raison, chassons-les de nos esprits. Ecoute, il va falloir que j'aille me coucher, je démarre tôt demain.

Après avoir raccroché, elle alla rapidement au lit, sollicitant le sommeil par une série d'exercices de relaxation qui finirent par fonctionner.

Pourtant, quand le réveil sonna le lendemain matin, elle se réveilla exténuée.

— Nuit agitée, chérie ? demanda le réalisateur tandis que la maquilleuse s'occupait d'elle.

Son intonation agaça Jacoba, qui s'abstint de répondre.

C'était le début d'une longue journée. Elle s'attendait à ce que Marco fasse son apparition, mais elle fut à la fois soulagée et frustrée de ne pas le voir. Tourner avec Sean était complètement différent… Avec lui, elle devait jouer un rôle, tandis qu'avec Marco, elle avait seulement réagi à son extraordinaire charme viril.

— C'est bon, les enfants, la fête est terminée. Ou juste sur le point de commencer, ajouta-t-il avec une note ironique en posant les yeux sur Jacoba. Du moins pour ceux d'entre vous qui sont attendus…

Jacoba n'eut pas besoin de se retourner pour savoir que Marco venait d'entrer dans la pièce. Un frisson courut sur sa peau tandis qu'elle le sentait approcher sans bruit.

Toujours vêtue de la robe de bal écarlate, elle ôta les longs gants de satin et les posa sur une table. Sans se retourner.

Marco s'arrêta à quelques pas.

— C'est fini ? demanda-t-il à Zoltan.

— Oui, nous avons terminé et je crois que vous serez satisfait de cette version. Jacoba et Sean se sont dépassés l'un l'autre.

— J'espère bien, dit Marco avec indifférence. Après tout, c'est pour cela qu'ils sont — et que vous êtes — payés.

— Oui, bien sûr, répondit Zoltan en hâte. Bon, si vous voulez bien m'excuser…

Le réalisateur adressa un sourire lourd de sous-entendus à Jacoba avant de lui lancer :

— Amuse-toi bien.

La jeune femme lui décocha un regard glacial.

— De combien de temps avez-vous besoin pour être prête ? demanda alors Marco.

Elle était terriblement consciente des gens autour d'eux qui les écoutaient, et elle lui fut reconnaissante d'avoir utilisé le vouvoiement.

— Une demi-heure, répondit-elle.

— Très bien, j'attendrai, dit-il.

Furieuse et inquiète, Jacoba s'éloigna rapidement. Des bribes de sa conversation de la veille avec Lexie surgirent dans son esprit. Leur mère avait-elle raison d'insister sur le fait qu'elles devaient cacher le secret de leur naissance ? Ou s'agissait-il simplement de l'obsession d'une femme fatiguée, rongée par la douleur et qui, autrefois, avait tant craint pour leurs vies qu'elles avaient dû aller se cacher à l'autre bout du monde ?

De toute façon, Jacoba ne voulait pas s'engager avec Marco Considine, prince d'Illyria. C'était trop dangereux, et pas seulement parce qu'il était illyrien. Il la bouleversait trop, la transformant en une créature qui n'était plus que désir charnel. Cela la choquait et menaçait l'équilibre qu'elle avait chèrement construit.

Pourtant, quand elle sortit du vestiaire, vêtue d'un jean et d'un T-shirt, ses cheveux tirés en arrière et sans autre maquillage qu'une touche de gloss sur les lèvres, elle ne fut pas surprise de voir Marco qui l'attendait. Troublée, elle s'avança vers lui.

Il leva les yeux à l'instant où elle apparut et vint à sa rencontre avec la détermination menaçante d'un conquérant, inflexible et résolu, ses yeux clairs fixés sur son visage comme s'il réclamait son dû.

Jacoba savait qu'on les observait et elle lui adressa un sourire réservé. Elle sentit sa main résolue saisir son coude et le serrer un instant avant de se détendre.

— Comment fais-tu pour être si élégante dans un jean ? demanda-t-il en l'entraînant vers la sortie.

— C'est l'uniforme standard de tous les mannequins, répondit-elle ironiquement. Comme ce grand sac.

— Et qu'est-ce que tu transportes là-dedans ? Le reste de ta garde-robe ?

— A peu près, dit-elle en riant.

Ils sortirent et l'air frais et iodé d'Auckland leur parvint aux narines.

— Que veux-tu ? demanda abruptement Jacoba.

Il haussa ses sourcils noirs.

— Mais, nous allons dîner…

Sous l'intensité de son regard, elle sentit son cœur se serrer douloureusement dans sa poitrine.

— Je ne crois pas que ce soit une bonne idée, dit-elle avec prudence.

Les doigts de Marco se resserrèrent autour de son bras.

— Je voudrais m'excuser pour mon comportement grossier d'hier.

— C'est du passé, dit-elle, mais merci. Et je suis désolée moi aussi, je n'aurais pas dû laisser les choses aller si loin.

— Parlons-en pendant le dîner, suggéra-t-il.

— Non.

— Je crois que tu ne devrais pas te dérober.

Il avait parlé calmement, mais quelque chose dans sa voix fit frémir Jacoba.

— Jusqu'à présent, tu t'es montrée une parfaite professionnelle. Pourquoi commencer à te comporter comme une diva ? Cela pourrait se retourner contre toi.

— Cela ressemble vraiment trop à une menace pour que j'accepte, protesta-t-elle.

— Je vois que tu as oublié, alors je vais te rafraîchir la mémoire. Nous devons dîner sur un yacht, dit-il doucement, pour prendre ensuite part à une réception et à une croisière dans le port, avec une centaine d'invités.

— C'est professionnel ?

— Bien sûr, répondit-il en fronçant les sourcils. C'est une

57

invitation de dernière minute, mais tu devrais être au courant. Ton agent ne t'a pas contactée ?

Jacoba se mordit la lèvre.

— Elle a dû m'envoyer un fax ce matin, reconnut-elle, ou un e-mail. Je n'ai rien vérifié avant de partir.

Sans qu'elle puisse s'en empêcher, elle se sentait excitée. Le morne environnement industriel sembla soudain sortir de la grisaille et reprendre vie tandis que l'air lourd se teintait d'un parfum subtil et joyeux. Et Jacoba aperçut même un rosier grimpant devant eux, probablement très vieux mais pourtant vigoureux, illuminant de touches écarlates une affreuse barrière de tôle ondulée rouillée.

Une voiture était garée le long du trottoir, le chauffeur attendait patiemment.

— Je ne peux pas y aller habillée comme ça, dit-elle.

— Bien sûr que non ! s'exclama-t-il avec une nuance d'ironie dans la voix. Des vêtements t'attendent sur le yacht.

Jacoba s'arrêta et le regarda fixement. Mais elle se rendit compte aussitôt qu'elle n'aurait pas dû, car il l'observait avec un amusement qui mit son calme à dure épreuve.

— Comment cela ? demanda-t-elle.

— Tu t'habilles ici chez une styliste qui connaît parfaitement tes mensurations. Elle a choisi une robe qui te plaira et qui t'ira, j'en suis sûr. D'autre part, son assistante a trouvé les accessoires qu'il te fallait, et je parierais que tu as de quoi te maquiller dans ce grand sac.

— Oui, dit-elle avec réticence avant de se laisser guider vers la voiture.

Le yacht était énorme. Marco remarqua que Jacoba regardait autour d'elle avec intérêt tandis qu'ils montaient sur le pont.

— Il ne m'appartient pas, précisa-t-il, je préfère les voiliers.

En fait, le propriétaire de celui-ci a construit ce yacht davantage pour sa femme et ses amis que pour lui.

Une note de mépris dans la voix de Marco surprit Jacoba. Elle regarda son profil qui se découpait nettement dans la lumière du port.

Un homme intéressant, ce prince Marco Considine… Elevé dans le luxe et à la tête d'une immense entreprise, il ne semblait pourtant pas penser grand bien des milliardaires qui étalaient leur fortune.

Marco se tourna vers elle, et elle vit sa bouche se durcir. Elle en fut si troublée qu'elle trébucha. Immédiatement, il tendit la main vers elle. Un frisson violent l'ébranla alors de la tête aux pieds et la main de Marco se serra une fraction de seconde sur sa taille.

Jacoba dut faire un terrible effort sur elle-même pour refouler le désir qui dévastait son corps.

— Lâche-moi, s'il te plaît, dit-elle d'un ton calme.

Il la libéra immédiatement et il la conduisit dans un immense salon richement décoré.

Un steward se précipita aussitôt vers eux.

— Veuillez conduire Mlle Sinclair vers la cabine qui lui a été réservée, s'il vous plaît.

— Par ici, madame, acquiesça l'homme en s'inclinant.

Avec un soupir de soulagement, elle le suivit dans une luxueuse cabine.

— Si vous avez besoin de quoi que ce soit, lui dit-il en indiquant une sonnette, appelez.

Une fois qu'il fut parti, Jacoba examina les vêtements sur le lit. Sa styliste avait choisi une robe de soirée sobrement élégante, de la couleur exacte de ses cheveux. Des manches longues lui donnaient un air sage en contradiction avec le profond décolleté en V du bustier. Des escarpins à talons hauts, absolument inconfortables et conçus pour faire paraître les chevilles plus fines, ajoutaient une touche d'or à la lourde soie cramoisie.

Sur la table de la coiffeuse, un flacon aux reflets fauves attira son attention. Elle l'ouvrit : son parfum dégageait une fragrance subtile de rose ambrée sur un fond richement exotique.

Aucun nom, aucune mention de fabricant… C'était donc le nouveau parfum, songea Jacoba avec intérêt.

Elle en vaporisa quelques gouttes sur son poignet, puis attendit un instant avant de le porter à ses narines. Riches et sensuels, les effluves évoquaient un bouquet d'épices, mais l'aura de rose ajoutait une chaleur somptueuse et romantique qui s'imprégna dans sa conscience tandis qu'elle se maquillait.

Une fois qu'elle fut prête, elle s'examina dans le miroir. Le feu que Marco avait éveillé en elle brillait encore dans ses yeux, mais elle allait devoir y résister.

A ce moment, quelqu'un frappa à la porte et elle redressa les épaules. Le cœur frémissant, elle alla ouvrir.

L'air sombre et distingué, et extrêmement séduisant dans son smoking noir, Marco se tenait devant elle. Jacoba vit qu'un agent de sécurité l'accompagnait.

— Bijoux, dit-il simplement.

Puis il sourit avec malice avant d'ajouter avec ironie :

— Et directement de Londres, s'il vous plaît…

Jacoba jeta un coup d'œil au nom prestigieux inscrit en capitales noires sur la boîte couleur argent qu'il tenait dans ses mains.

— Entre, dit-elle.

— Attendez ici, dit Marco à l'agent.

Celui-ci eut l'air de vouloir protester, mais un seul regard du prince suffit à lui ôter l'envie de dire quoi que ce soit et il recula d'un pas dans le couloir.

— Des boucles d'oreilles, je crois, et peut-être un bracelet, dit-il en ouvrant le coffret. Non, c'est une bague.

— Elle a l'air d'avoir été créée pour un couronnement…

Stupéfaite, elle le vit prendre la bague et lui passer l'énorme diamant au doigt.

Sans le regarder, Jacoba saisit délicatement les boucles d'oreilles assorties. Des diamants étincelants assemblés en demi-cercle, d'où pendait une pierre précieuse en forme de cœur, si éblouissante qu'elle cligna des yeux.

— Elles t'iront parfaitement, murmura-t-il d'un ton qui lui fit lever les yeux.

Les paupières de Marco étaient baissées et elle ne pouvait déchiffrer l'expression de ses yeux, et pourtant elle sentit une vague de chaleur monter à ses joues. Elle reporta rapidement son regard sur les bijoux qu'elle tenait dans ses mains.

Puis elle se tourna vers le miroir et passa les boucles dans ses lobes avec des mains qui tremblaient légèrement.

— Est-ce que ce n'est pas un peu trop ? Il me semble que la bague suffit...

Il vint à côté d'elle, si imposant qu'elle se sentit soudain petite et fragile.

— Non, elles sont parfaites, dit-il avec un sourire. Ne bouge pas, je vais les fermer.

La protestation de Jacoba mourut sur ses lèvres. Elle se raidit, incapable de respirer tandis qu'il fixait les boucles. Ses mouvements étaient habiles et sûrs, et l'essence citronnée, mêlée à la senteur musquée et attirante qui n'appartenait qu'à lui, lui parvenait comme un souffle sauvage, excitant, et interdit.

— Voilà, dit-il en reculant d'un pas.

Ses yeux se rétrécirent et il l'examina d'une façon d'autant plus troublante qu'elle était aiguisée par une sensualité qui assombrissait le bleu de ses prunelles.

— Suis-je bien ? demanda-t-elle sans réfléchir.

Comment avait-elle pu poser une telle question ? Quelle idiote ! Décidément, le magnétisme qui émanait de Marco endommageait les circuits de son cerveau...

— Tu es ravissante, répondit-il avec un sourire intimidant, parfaite, même. Cette robe met en valeur tous tes atouts, et ces diamants feront espérer à chaque femme qui te verra que, si elle achète le parfum, un peu de cette beauté rejaillira sur elle. Grâce à toi, nous devrions en vendre des millions de flacons.

— C'est pour cela que tu m'as engagée. J'essaierai donc de te donner satisfaction, dit-elle d'un ton sec, stupidement blessée par le ton froid et détaché de Marco.

De retour dans le salon luxueux, elle le regarda remplir deux coupes de champagne. Pendant quelques instants, elle put apprécier la grâce de ses gestes et elle se sentit soudain renaître. Une marée de désir se déversait en elle en un flot joyeux et balayait toutes ses craintes et ses incertitudes.

— A notre succès, dit-il en levant son verre.

Bien sûr, il parlait de la campagne publicitaire ! Et pourtant, quelque chose dans son ton, au fond de ses yeux, amena une autre vague enivrante et fit vibrer tous ses sens. Elle avala péniblement une gorgée du liquide pétillant.

— Au succès, dit-elle d'un ton neutre. Un nouveau parfum, c'est un sacré pari, n'est-ce pas ?

— Oui, assurément, l'aimes-tu ?

— Si c'est celui que j'ai trouvé dans ma cabine…

— Oui, c'est lui, l'interrompit-il.

— Alors, oui, je l'aime beaucoup. Quel est son nom ?

Il haussa les épaules.

— Les gens du marketing pensent qu'il ne faut pas le révéler maintenant. Si nous allions manger quelque chose ?

Mal à l'aise, Jacoba contemplait son assiette. Son appétit semblait en effet l'avoir abandonnée.

— Est-ce que la nourriture ne te plaît pas ? demanda Marco.

— Si, c'est délicieux, dit-elle avant de planter sa fourchette dans le thon grillé et de se forcer à avaler une bouchée.

Il regarda son verre de vin, auquel elle n'avait quasiment pas touché.

— Tu ne bois pas ?

— Je bois rarement, lui dit-elle franchement. Je ne supporte pas l'alcool. Et toi ? demanda-t-elle sans réfléchir.

Elle vit ses sourcils se hausser brusquement. Mais il reprit contenance immédiatement.

— Je dois reconnaître que je me suis livré à quelques excès quand j'étais jeune et stupide, à l'université, mais cela s'est arrêté là. Je préfère mon cerveau dans son état normal.

Elle hocha la tête.

— Maintenant que nous avons réglé cette question, dit-elle doucement, de quoi allons-nous parler ?

— Choisis. Ton acteur préféré ? Musicien de rock ? Couturier ?

Comme la plupart des gens, il devait penser que, sous son apparence glamour, elle était idiote ! Furieuse contre lui, et contre elle-même, elle lui parla du livre qu'elle venait de terminer. A sa grande surprise, Marco l'avait lu lui aussi et il avait beaucoup à en dire. Cinq minutes plus tard, elle se rendit compte qu'elle appréciait leur discussion animée.

Petit à petit, elle se détendait, tandis que tous deux prenaient garde à ce que la conversation ne prenne pas un tour plus personnel.

Marco était un homme très intéressant. Non, plus que cela, il était intrigant, et son intelligence vive la séduisait. Elle se surprit bientôt à rire quand il fit un commentaire laconique sur une personne qu'elle avait rencontrée et qu'elle non plus n'appréciait pas beaucoup.

Il n'était pas porté pour autant sur les commérages — il disait simplement ce qu'il pensait. Avec lui, elle se sentait soudain plus vivante qu'elle ne l'avait jamais été.

Pourtant, à chaque instant, elle demeurait consciente, presque

64

douloureusement, de son charisme physique, de la grâce virile et puissante de ses mains longues et agiles, de la façon dont les boutons de manchettes blancs contrastaient avec sa peau hâlée… Elle s'émerveillait des petites rides qui auréolaient ses yeux quand il riait, des longs cils noirs sur les pommettes saillantes…

Oh zut ! se dit-elle, c'était injuste. Non seulement il représentait une menace pour la paix de son esprit, mais il était illyrien. Et pourtant, elle avait tellement envie de lui…

— Nous avons dix minutes avant que les invités n'arrivent. Veux-tu te rafraîchir ? demanda-t-il tout à coup en regardant sa montre.

— Oui, dit-elle en bondissant sur ses pieds.

Toujours courtois, il se leva en même temps, si bien que pendant un instant, ils se firent face comme des adversaires de part et d'autre de la table.

— Non que tu en aies besoin, remarqua-t-il avec malice en scrutant son visage. Tu as réussi à manger sans altérer le contour exquis de tes lèvres parfaites, et sans déranger un seul cheveu de cette somptueuse crinière.

— Je vais quand même vérifier. Je suppose que tu veux que je me parfume ? demanda-t-elle en essayant de rester calme.

— Bien sûr.

Jacoba s'échappa, se demandant ce qui avait bien pu briser l'agréable atmosphère du dîner. Rien, se raisonna-t-elle aussitôt, parce qu'elle avait rêvé… Le prince Marco Considine était un homme intelligent et délicieux, et il savait plaire aux femmes. Il avait réussi à lui faire croire qu'ils avaient partagé une sorte de complicité, un point c'est tout.

Les joues en feu, elle ajouta une couche de rouge à lèvres et fit couler de l'eau froide sur ses poignets avant de remettre un peu de parfum. Enfin, elle passa quelques minutes à faire des exercices de respiration.

Seulement alors, avec un sourire étudié sur les lèvres, elle retourna dans le salon.

Quand elle arriva dans l'entrée, Marco prit son bras et lui sourit. Elle se figea tandis qu'une excitation endiablée parcourait tout son être.

— Tu es… scandaleusement belle, dit-il avec une intonation rauque qui résonna aux oreilles de Jacoba comme une caresse.

— Et que penses-tu du parfum ? demanda-t-elle. Après tout, n'est-il pas la raison de tous ces efforts ?

Il haussa brièvement les sourcils avant de lui répondre.

— Absolument, dit-il d'une voix soyeuse.

Et tandis que des voix se rapprochaient, il lui intima rapidement :

— Souris et prends un air moins boudeur.

Boudeur ? Elle lui jeta un regard hautain. Les doigts de Marco se raidirent un instant sur son coude tandis qu'il la faisait pivoter pour accueillir le premier des invités.

Bien sûr, elle connaissait beaucoup d'entre eux. Toutes les célébrités de Nouvelle-Zélande avaient été conviées.

— Je suis surprise de ne pas voir Zoltan, murmura-t-elle après qu'un acteur l'eut embrassée sur la joue.

— Il aura son heure de gloire lors du lancement officiel à Londres, dit Marco d'une voix calme.

Quatre mannequins entrèrent. Elles octroyèrent à Jacoba l'habituel baiser qui se perdait dans les airs avant de regarder Marco, en jouant des cils.

Il ignora avec grâce leurs provocations ouvertes.

Soudain, Jacoba vit l'agent de sécurité apparaître près de la porte et attendre. Marco lui fit un bref mouvement de tête.

— Nous partons, dit-il à Jacoba.

Le bruit à peine perceptible des moteurs changea de registre, et presque immédiatement, le yacht commença à s'éloigner du quai.

Jacoba espéra qu'elle allait avoir un peu de répit, mais son compagnon ne considérait pas les choses ainsi. Une main posée avec légèreté sur ses reins en un geste irritant de propriétaire, il l'entraînait avec lui tandis qu'il évoluait d'un groupe à l'autre.

Elle se rendait parfaitement compte qu'il était déterminé à donner l'impression qu'ils étaient plus que des associés en affaires. Et elle ne lui faisait pas du tout confiance. N'avait-il pas pris son refus pour un défi ?

Quant à elle, tout ce qui lui restait pour se défendre, c'était le bon sens et la promesse faite à sa mère.

Mais tandis que la soirée s'écoulait et que le disque de la lune s'agrandissait dans le ciel, ses craintes s'apaisèrent peu à peu devant le charme irrésistible de Marco. Tandis qu'elle parlait et riait, elle se retrouvait emportée vers lui tout à fait naturellement, ensorcelée malgré elle et savourant sa compagnie.

Quand le yacht fit demi-tour et commença à revenir vers le port, elle se tenait toujours à son côté.

— Je reviens dans un instant, lui dit-elle.

Il la regarda rapidement, et lui adressa un hochement de tête avant de se retourner vers l'homme à qui il parlait.

Ainsi, il lui indiquait par cette brève inclination de sa tête brune qu'elle avait la permission de le quitter !

Furieuse, elle se dirigea vers les toilettes.

Quand elle en sortit quelques minutes plus tard, elle fut arrêtée au passage par Gregory Border, un journaliste qui rédigeait la rubrique des potins mondains du dernier magazine à la mode de Nouvelle-Zélande. Par conséquent, beaucoup de gens le craignaient…

Quelques années plus tôt, elle avait rencontré le journaliste à plusieurs reprises et avait repoussé ses avances. Son rejet avait dû le vexer particulièrement parce que, depuis lors, elle avait été l'objet de représailles et avait alimenté sa rubrique.

— Vous êtes fantastique, lui dit-il avec un sourire. Est-ce que cette senteur délicieuse est celle du parfum qui est la cause de tout ce vacarme ?

— Je ne sais pas, répondit-elle calmement.

Il se pencha et lui prit la main, l'attirant vers sa bouche en dépit de sa résistance, si bien qu'il réussit à embrasser l'intérieur de son poignet. Jacoba serra le poing de son autre main, mais elle ne pouvait quand même pas le frapper, pas ici. Et il le savait.

— Hum…, murmura-t-il. Juste un peu trop lourd pour l'intimité, à mon goût. Mais, de toute façon c'est exclu pour moi, n'est-ce pas, puisque chacun sait qu'à part votre partenaire habituel, vous êtes plutôt une reine de glace. A propos, que pense le bouillant Hawke de votre relation avec le prince ?

— Je n'ai rien à vous dire, répliqua-t-elle d'un ton méprisant. Laissez-moi passer. Si vous me touchez encore une fois, je vous ferai arrêter pour harcèlement.

— Vous n'oseriez pas…

— Moi je n'hésiterai pas un instant, l'interrompit une voix dure comme de l'acier derrière elle.

Quand elle se retourna, elle vit Marco observer l'autre homme avec l'intensité menaçante d'un prédateur.

Une teinte violacée envahit subitement les joues du journaliste.

— Vous n'avez pas à vous inquiéter, dit-il. Nous sommes de vieux amis, n'est-ce pas, Jacoba ?

— Alors, pourquoi vous demandait-elle de la laisser tranquille ?

— Peut-être s'inquiétait-elle pour le caillou qu'elle porte à son doigt, dit Border avec une sorte de ricanement. Mais je ne suis pas un voleur.

Pas de bijoux, mais de réputations, oui, songea Jacoba avec mépris.

Le regard du journaliste alla du visage intimidant du prince à celui de Jacoba, et il haussa les épaules.

— Puisque je suis là, y a-t-il une chance d'interview ?

— Non, dit Marco avec une voix d'un calme impressionnant. Ni maintenant, ni jamais. Et à l'avenir, gardez vos mains éloignées des siennes.

Border haussa de nouveau les épaules.

— Vous ne pouvez pas en vouloir à un homme de tenter sa chance, dit-il avec une note enjouée.

— Si, je le peux.

Jacoba tressaillit. Marco n'avait pas besoin de proférer de menaces, il parlait avec l'assurance tranquille d'un homme qui savait qu'il pouvait accomplir tout ce qu'il désirait.

6.

Sans plus s'occuper du journaliste, Marco sourit à Jacoba et l'entraîna plus loin.

— Allons rejoindre les autres, dit-il.

— La plupart des gens craignent les ragots de ce Border. Il est très populaire et il vaut mieux ne pas le contredire, car il peut être dangereux.

— Moi aussi, je peux l'être.

Il n'allait certainement pas lui dire que le destin de ce Border avait été scellé à la seconde même où Marco avait levé les yeux et l'avait vu en train d'embrasser la main de Jacoba.

L'accès de jalousie qu'il avait alors ressenti l'avait stupéfié.

D'habitude, il n'était pas jaloux… car il n'avait pas eu à le devenir. Eh bien, il y avait une première fois à tout, se dit-il sombrement en contemplant le visage ravissant de Jacoba.

Elle avait l'air inquiète et il dut faire un effort pour ne pas chasser ses soucis par un baiser.

Ce désir de la protéger l'étonna et le rendit furieux. En effet, ce besoin était encore plus dangereux et inattendu que la jalousie. Par le passé, il avait eu l'occasion de voir la jeune femme en différentes circonstances, parfois avec Hawke Kennedy, le plus souvent seule. Il avait alors constaté qu'il pourrait la désirer, mais, comme il aimait bien Kennedy, il n'avait jamais fait la moindre tentative envers elle.

Mais maintenant, tout avait changé, car il l'avait sentie fondre dans ses bras. Il avait savouré sa bouche qui s'adoucissait sous la sienne et il avait été contrarié de voir la somme d'efforts que cela lui coûtait de s'éloigner d'elle.

Ce soir, il avait délibérément donné l'impression à tout le monde qu'ils formaient un couple. Il avait d'abord cherché à se convaincre que c'était pour donner plus d'éclat à ce début de campagne publicitaire. Mais cela n'était pas la vraie raison. S'il avait gardé Jacoba à son côté toute la soirée, c'était simplement parce qu'il ne pouvait s'en empêcher.

Le désir envahit de nouveau Marco et le transperça avec une brutalité qui l'effraya. Cette femme avait le pouvoir de faire jaillir des instincts primaires qu'il avait du mal à dompter.

Elle aussi le désirait, il en était sûr, malgré les efforts qu'elle faisait pour le lui cacher.

Jacoba se détourna, une légère rougeur courant le long de ses magnifiques pommettes.

— Il ne m'aime pas, dit-elle, si bas qu'il put à peine l'entendre.

— Alors pourquoi embrassait-il ta main ?

— Un petit jeu de pouvoir, dit-elle d'une voix distante.

Pendant un court moment, Marco se surprit à regretter de ne pas avoir suivi son premier instinct et de ne pas avoir envoyé un direct à la mâchoire de ce type. Mais il se ressaisit aussitôt car il méprisait de telles réactions primaires.

Jacoba Sinclair, avec sa beauté aristocratique et cette chevelure qui ondulait comme une rivière de feu, le touchait comme aucune autre femme n'avait jamais réussi à le faire. Il pouvait bien essayer de se convaincre que c'était purement physique, il devait maintenant admettre qu'il appréciait également son esprit.

Et elle l'intriguait. En effet, derrière cette façade réservée, il sentait qu'elle gardait précieusement un secret douloureux.

— Et toi, pourquoi ne l'aimes-tu pas ? insista-t-il brutalement.

Jacoba devina qu'elle devait se montrer diplomate.

— Parce que lui ne m'aime pas, dit-elle simplement.

— Je veux la vérité, ordonna Marco d'un ton sévère.

Elle le regarda droit dans les yeux.

— Je n'apprécie pas beaucoup cette insistance, remarqua-t-elle.

— Le succès de cette campagne repose en grande partie sur toi. S'il est possible que ce type la fasse dérailler, je dois le savoir. Et s'il a quelque information qui te montrerait sous un mauvais jour, dis-le-moi.

— Il n'en a aucune.

— Alors, de quoi s'agit-il ?

— Il m'a fait des avances. Quand j'ai refusé, il a décidé de me donner une leçon.

Marco fronça les sourcils.

— Ne me dis pas qu'il devient l'ennemi juré de chaque femme qui le rejette…

— Je ne sais pas. Peut-être.

— Alors c'est un maître chanteur. Au moins, tu ne lui as pas cédé. Tu ne l'as pas fait, n'est-ce pas ?

Ses paroles étaient empreintes d'une note implacable qui fit frissonner Jacoba.

— Bien sûr que non, répondit-elle.

Même si elle avait trouvé Border séduisant, elle l'aurait repoussé, car il l'avait dégoûtée en l'informant qu'il se fichait de la partager avec Hawke.

— Ce sont les risques du métier, ajouta-t-elle avec une légèreté feinte.

— Est-ce qu'il te harcèle ?

Elle le regarda avec ironie.

— Pas en ce moment, et pas plus que certains hommes.

— S'il essaie quoi que ce soit, dis-le-moi.

Emue, Jacoba se rendit compte que sa possessivité était doublée d'un instinct protecteur.

— Pourquoi Kennedy n'intervient-il pas ? demanda soudain le prince avec arrogance.

Jacoba haussa les sourcils.

— Hawke sait que je peux m'occuper de moi toute seule. Je n'ai pas peur de Border, Mar...

Elle s'arrêta brusquement.

— Tu allais m'appeler par mon prénom, lui dit-il, les yeux brillants.

— Peut-être devrais-je t'appeler de la façon dont on s'adresse à toi dans ton pays, dit-elle, stupidement guindée.

— On m'appelle Votre Altesse, dit-il avec ironie. Mais mes amis utilisent mon nom de baptême. Dis-le.

— Votre Altesse... Marco.

Les deux syllabes avaient coulé avec fluidité de ses lèvres.

— Tu pourrais presque être illyrienne, dit-il, à cause de la façon dont tu prononces les voyelles.

La panique s'empara d'elle et elle se demanda avec frayeur si elle était en train de pâlir.

— C'est probablement parce que j'ai été élevée avec le français comme seconde langue.

De plus, elle se rendit soudain compte qu'ils étaient l'objet de l'attention à peine voilée de plusieurs personnes.

— Nous devrions rejoindre les autres, dit-elle faiblement.

Quand le yacht fut de nouveau amarré à quai et que les derniers invités furent partis, Jacoba se sentit tout à coup exténuée.

— Fatiguée ? demanda Marco tandis qu'il la conduisait vers la cabine où l'attendaient ses vêtements.

Elle avait déjà ôté les bijoux et les avaient rendus à l'agent de sécurité.

— Oui, un peu, acquiesça-t-elle.

— Je suis désolé que la soirée ait eu lieu après une journée de tournage, mais les gens de la publicité tenaient absolument à se servir de ta présence quand ils ont découvert que tu serais à Auckland aujourd'hui. Veux-tu rentrer à pied à l'hôtel après t'être changée, ou préfères-tu que j'appelle un taxi ?

— Je préfère marcher, merci.

— Je quitte la Nouvelle-Zélande demain, dit alors Marco.

Une déception aiguë la traversa. N'aurait-elle pas dû être soulagée ? Quand cette folie temporaire l'aurait quittée, elle le serait, se raisonna-t-elle.

Mais en ce moment, elle éprouvait seulement une terrible sensation de perte.

— Tu rentres en Illyria ? demanda-t-elle d'une voix indifférente.

— Oui, en passant par l'Amérique. Viens avec moi.

— Non ! s'écria-t-elle aussitôt.

Et pourtant, elle avait tellement envie d'accepter... Mais elle n'osait pas.

Et Marco le savait.

— Pourquoi ne pas céder et t'épargner ainsi beaucoup d'inquiétude ? suggéra-t-il.

Son ton négligent contrastait avec l'intense intérêt que Jacoba lisait dans ses yeux.

Elle lui lança un regard fier.

— Je n'ai pas l'intention de *céder*, dit-elle.

Il fronça les sourcils. Puis il ouvrit la porte de la cabine et recula d'un pas pour la laisser entrer dans la pièce.

— Ta fierté n'y perdrait rien, dit-il.

Puis, avant qu'elle ait pu répondre, il ferma la porte et la laissa seule.

Après avoir glissé son corps tendu hors de la robe de soie et l'avoir suspendue, elle enfila son jean et son T-shirt, remplaça les escarpins par ses sandales plates et confortables. Mais Jacoba ne pouvait empêcher la passion accumulée toute la soirée de l'envahir.

Pourquoi n'aurait-elle pas une aventure avec lui ? La plupart de ses amies n'auraient pas hésité une seconde.

Mais aucune d'entre elles n'avait un passé aussi auréolé de mystère que le sien. Non, même si elle était prête à prendre le risque, il fallait penser à Lexie. Raffermissant sa volonté, elle quitta la cabine, les épaules et le dos très droits.

Marco s'était changé lui aussi et portait maintenant une chemise anthracite et un pantalon noir moulant.

Cette fois, au lieu de saisir son bras, il lui offrit le sien. Elle hésita, puis le prit. Elle trembla quand elle sentit la chaleur de son corps.

— Tu as froid ?

Il savait très bien que non.

— Pas du tout, répondit-elle.

— Quels sont tes projets pour la saison prochaine ?

— Oh, quelques contrats, dit-elle d'un ton vague. Et il y a toutes ces soirées pour le lancement.

La reconnaissant, un groupe de jeunes hommes assis à une terrasse de café l'appelèrent par son prénom. Ce n'était pas une menace, ils étaient simplement insolents. Elle sourit, mais continua à marcher, consciente que Marco l'escortait et la protégeait.

— J'aimerais te revoir avant, dit-il tranquillement.

Jacoba tressaillit.

— Et pas dans un contexte professionnel.

Une joie étrange se déversa en elle, chaude et douce comme une nuit d'été. Mais elle se raidit.

— Je crains que cela ne soit pas une bonne idée.

— Pourquoi ? dit Marco sans se démonter. A cause de Hawke Kennedy ?

Jacoba hésita. « Mens », lui souffla son bon sens. Sans compter le danger d'avoir une relation avec Marco, celle-ci ne durerait pas. Quand viendrait le moment, il choisirait une femme digne de son rang.

Elle regarda de nouveau subrepticement Marco. Tout à coup, elle souhaita qu'il l'entraîne brutalement dans une aventure passionnée sans qu'elle puisse lui résister.

Leurs yeux se croisèrent. La chaleur illuminait les pâles profondeurs des siens, la transperçant. Sans qu'elle puisse l'empêcher, son cœur se mit à battre plus vite tandis que le désir l'inondait d'un flot étourdissant, brûlant et doux à la fois.

Oui, pensa-t-elle avec un assaut soudain et rapide de joie triomphante, c'est ce que je veux. *Il* est ce que je veux.

Et elle ne pourrait jamais l'avoir.

Pourtant, elle était incapable de lui mentir.

— Hawke est mon meilleur ami, dit-elle. Quand j'ai commencé à travailler comme mannequin, je n'avais que seize ans et j'étais totalement ignorante du comportement de certains hommes. Mon agence me protégeait, mais Hawke a veillé sur moi. Et je me servais de son nom et de son influence pour faire reculer ceux qui insistaient trop.

Marco hocha la tête.

— Et je suppose que votre prétendue relation amoureuse t'a servi à garder tes distances durant tes liaisons.

Il y en avait eu seulement deux, et aucune n'avait été sérieuse, songea Jacoba. Son passé l'avait rendue trop réservée, trop prudente.

— Oui, répondit-elle d'un ton neutre.

— Et actuellement, as-tu une liaison avec quelqu'un ? demanda-t-il.

— Non.

— Moi non plus.

— Cela ne change rien, dit-elle.

Mais sa voix, teintée de désir, la trahit.

Le regard de Marco s'attarda sur sa bouche.

— Alors, nous avons ce soir, dit-il d'une voix douce.

Jacoba rassembla toute sa volonté pour résister à la tentation.

— Non, dit-elle avec un tremblement. Et je ne t'invite pas dans ma chambre.

Ils étaient maintenant arrivés devant l'hôtel.

— Je loge ici également.

— Comme c'est pratique…, réussit-elle à articuler.

— Il m'appartient, rétorqua-t-il d'un ton sec.

Elle avait l'air irréelle, songea Marco, cette femme à la sensualité de feu. Et elle était bien trop belle pour qu'on la considère autrement que comme une amante. Pourtant, elle était loin d'être idiote. Il savait à présent qu'elle lisait beaucoup et qu'elle s'y connaissait en politique et en finance. Et en plus, elle s'intéressait à la Bourse…

Il la poussa doucement sur le côté pour éviter un groupe de passants dont le rire lourd et les gestes maladroits montraient qu'ils avaient trop bu.

Puis ils entrèrent dans le hall de l'hôtel et elle lâcha son bras. Tous deux pénétrèrent dans l'ascenseur privé qui menait à leurs suites.

— Merci. Tu as été formidable. Et pourtant, tu n'avais pas l'air d'apprécier cette soirée…

— Ce n'est pas cela…, dit-elle en fronçant les sourcils.

— Alors, qu'est-ce qui n'allait pas ?

Comme elle ne répondait pas, il prit son menton dans sa main et la força à le regarder. Puis il caressa le contour de ses lèvres du bout des doigts.

— Je sais ce qui n'allait pas, dit-il d'une voix profonde et sensuelle.

Qu'était-elle en train de faire ? Elle le connaissait à peine…, songea-t-elle en sentant un frisson la parcourir.

Ses doigts quittèrent soudain sa bouche. Il la souleva dans ses bras et la porta à l'intérieur de sa suite.

Il s'assit avec elle sur le sofa, la serrant contre lui, sa joue contre le front de Jacoba. Comme si, pour le moment, ce simple contact comblait son attente. Elle sut alors que les derniers lambeaux de résistance s'évanouissaient en elle. Dans ses bras, elle se sentait totalement, merveilleusement en sécurité…

— Regarde-moi, dit-il d'une voix rauque.

Les yeux de Jacoba se perdirent dans les siens.

— Comment diable réussis-tu à faire cela ?

— Que veux-tu dire ? demanda-t-elle, surprise.

Il éclata d'un rire bref et moqueur.

— Tu parviens à m'enflammer d'un simple regard, lui dit-il. Habituellement les yeux gris sont froids et transparents, mais les tiens sont brumeux et attirants. Ils me rendent fou.

Ne lui laissant pas le temps de dire un mot, il prit sa bouche.

Des sensations inouïes se bousculèrent en Jacoba. Son baiser profond souleva une explosion de volupté tandis que les doigts qui caressaient son sein avec une ardeur délicieuse affolaient ses sens.

Doucement, elle repoussa le visage de Marco et le tint entre ses mains. Elle soutint alors ses yeux fiévreux et elle se rendit compte qu'elle était en train de perdre la lutte qu'elle menait contre le désir qui menaçait de la submerger.

Il était en proie au même combat, elle le sentait. Il embrassa la ligne de sa mâchoire avec une douceur merveilleuse, et descendit ensuite le long de sa gorge, sa bouche s'attardant avec

78

une précision délicieuse sur certains endroits, comme s'il savait d'instinct ce qui exacerberait son plaisir.

Un petit gémissement jaillit des lèvres de Jacoba et elle passa une main dans la soie noire des cheveux de Marco. Son cœur battait si fort qu'elle était incapable de penser.

— Est-ce que je vais abîmer cette jolie chose si je l'arrache ? demanda-t-il avec malice.

— Oui, et tu seras obligé de me laisser déchirer ta chemise, dit-elle d'une voix si sensuelle qu'elle la reconnut à peine.

Il éclata de rire. Puis il écarta les bras.

— Fais comme tu veux, lui dit-il en souriant.

Sans plus attendre, elle souleva fébrilement sa chemise.

— Bon sang, tu es si belle…, dit-il d'une voix rauque.

Une joie pure la traversa. Un sourire arrondit ses lèvres et elle fit passer la chemise au-dessus de la tête de Marco. Enfin elle put se délecter des contours magnifiques de son torse.

Les yeux de Marco brillaient intensément, et tout à coup, il dit quelque chose dans une langue qu'elle reconnut à peine comme de l'illyrien.

Brusquement, Jacoba pensa à sa mère et à sa promesse.

Fermant les yeux, elle murmura d'une voix à peine audible :

— Je ne peux pas, je ne veux pas…

— Tu mens, tu me désires autant que je te désire, s'exclama-t-il brutalement.

— Ce n'est pas la question, réussit-elle à dire.

La montée furieuse du désir s'était retirée, la laissant glacée et tremblante. Sans dire un mot de plus, elle se leva. Ses jambes tremblaient…

Il allait être furieux et elle ne pouvait lui en vouloir, mais au moins elle avait retrouvé son bon sens, songea-t-elle, presque soulagée.

Alors, rassemblant son courage, elle se retourna et lui fit face.

Il était déjà debout et le cœur de Jacoba se serra avec appréhension. Sombre et dominateur, il la regardait avec un visage dénué de toute expression. Pourtant, elle sentait la force des émotions qu'il retenait derrière ces traits durs et indéchiffrables.

— Je suis désolée. C'est impardonnable de ma part, mais je ne… je ne veux pas, Marco.

— Tu devrais réfléchir un peu aux messages contradictoires que tu envoies, dit-il.

Il avait raison, et elle prit ses paroles comme une gifle en pleine figure.

— Je suis désolée, dit-elle, d'une voix plus assurée cette fois, tout en serrant les poings. Mais je ne veux pas d'aventure avec toi.

— Pourquoi ?

Oh, Dieu, pourquoi ne pouvait-il simplement accepter son refus et partir ?

— Pourtant, tu avais l'air sincère dans mes bras. Ou es-tu une très bonne actrice ?

— Je préférerais que nous en restions à une relation purement professionnelle, lui jeta-t-elle tout en refoulant son désespoir.

— Peut-être ai-je mal interprété la situation ? demanda-t-il calmement. Eh bien, dis-le-moi à présent : combien cela me coûtera-t-il ?

7.

Jacoba cligna des yeux, refusant de comprendre ce qu'il venait de dire. La colère se transforma bientôt en une humiliation amère.

— Si tu sous-entends que je suis une prostituée, tu te trompes, dit-elle d'un ton brusque.

— Bien sûr que tu n'en es pas une, dit-il avec un sourire tranchant, mais c'est tout à fait raisonnable de ta part de poser tes conditions avant de t'engager davantage. J'ai beaucoup apprécié l'échantillon des talents que tu as bien voulu me montrer et je suis tout à fait disposé à mettre le prix pour voir le reste.

Elle lui fit face, les joues en feu.

— J'ai été insultée, dit-elle d'une voix tremblante, mais jamais comme ce soir. S'il te plaît, va-t'en.

— Certainement.

Il jeta sur son épaule la chemise qu'elle lui avait ôtée tout à l'heure avant de se diriger vers la porte.

Malgré elle, elle le regarda. Il se déplaçait d'un pas tranquille, parfaitement à l'aise.

Avant de sortir, il se retourna pour la dévisager.

— Je te reverrai très vite. J'espère que tu n'as pas oublié la date de lancement du parfum.

— Non, dit-elle, livide. C'est noté dans mon agenda.

— Tu as intérêt à être là, conseilla-t-il avant de disparaître.

Elle verrouilla la porte derrière lui, puis s'effondra sur une chaise, se frottant les bras pour essayer de ramener un peu de chaleur dans son corps.

Comment avait-il pu l'humilier ainsi ? Son comportement était tout à fait dégoûtant.

Mais ce n'était pourtant pas le dégoût qui amena des larmes douloureuses dans ses yeux et la maintint éveillée une grande partie de la nuit...

Le matin suivant, Jacoba achevait de se maquiller pour camoufler ses yeux bouffis quand on frappa discrètement à la porte. Un fol espoir fit battre violemment son cœur quand elle alla ouvrir.

Mais ce n'était pas Marco. Le responsable de l'étage se tenait devant elle et lui présentait une somptueuse corbeille de fleurs.

Elle les prit, remarquant les lis péruviens, d'un rouge si sombre et si profond qu'ils s'harmonisaient avec ses cheveux. Son cœur se serra aussitôt : la couleur signifiait sûrement que Marco les avait choisis lui-même...

L'homme lui tendit alors une enveloppe et le journal.

Une fois la porte refermée, elle posa les fleurs sur la table et regarda stupidement l'enveloppe. Puis, se mordant la lèvre, elle l'ouvrit.

« Je te contacterai à Londres quand tu reviendras.

M. »

Tremblante, elle chiffonna la feuille de papier et la jeta dans une poubelle, mais presque aussitôt elle la reprit, lissant les plis avec un sourire moqueur envers elle-même.

Puis, décidée à reprendre ses esprits, elle se fit monter des fruits, du muesli et du thé avant de s'installer pour lire le journal.

Sur la dernière page, ses yeux tombèrent sur son nom au milieu des caractères imprimés. Son cœur s'arrêta et elle se sentit mal, mais elle se força à lire, le dégoût s'emparant d'elle comme une vague. Mais ce fut la dernière phrase qui la glaça.

On murmure que le prince et son mannequin favori ne sont pas liés seulement par un contrat, et bien que je sache à quoi vous pensez… Non, ce n'est pas cela que je voulais dire… En dépit de son nom aux consonances celtiques, il semblerait que notre superbe top model ait de solides liens familiaux avec l'Illyria.

— Oh, mon Dieu, chuchota-t-elle, bondissant sur ses pieds.

Elle regarda autour d'elle, puis se força à calmer sa respiration et à ralentir son esprit qui fonctionnait à toute allure. Il fallait raisonner avec logique. De toute façon, les menaces que sa mère avait tant redoutées avaient disparu avec la mort du dictateur.

Il fallait absolument qu'elle parle de tout cela avec quelqu'un de confiance. Hawke…

Reprenant son calme, elle saisit son téléphone et appela une entreprise de location de voitures.

Quand elle atteignit Bay of Islands, elle avait horriblement chaud et elle avait réussi à renverser un verre de jus d'orange sur son T-shirt. Bien que Hawke ne fût pas à la maison, sa voiture était dans le garage, aussi entra-t-elle avec sa clé et décida de se changer avant de partir à sa recherche.

Elle achevait de nettoyer les traces de jus collant quand elle entendit du bruit devant la maison. Un sourire malicieux se dessina sur ses lèvres. Bon sang, pourquoi ne tombait-elle donc pas amoureuse de lui au lieu de l'aimer comme une sœur ? Cela rendrait la vie bien plus facile…

Elle serra la ceinture de son peignoir et, un sourire aux lèvres, se dirigea vers la porte d'entrée.

Malheureusement, Hawke n'était pas seul. Et d'après l'expression qu'elle lut sur son visage, elle se rendit compte qu'elle n'était pas tout à fait la bienvenue. Il avait même poussé la femme qui l'accompagnait derrière lui, comme pour la protéger.

« Il est amoureux ! » songea-t-elle, réalisant que cette découverte la déprimait.

— Jacoba, dit-il d'une voix posée, que diable fais-tu ici ?

Sa question la blessa malgré elle.

— Oh, Hawke, je suis désolée… Je suis un peu en avance, en effet, dit-elle d'une voix enjouée, mais je ne savais pas que tu avais des visiteurs.

— Seulement *une*, dit Hawke avec légèreté, ayant recouvré tout le contrôle de lui-même.

D'une voix calme et ironique, il les présenta. Jacoba baissa les paupières pour dissimuler sa surprise et son embarras. La jeune femme n'était autre que la princesse Melissa Considine, la plus jeune sœur de Marco…

Après un instant, elle secoua légèrement la tête et laissa son expression se détendre en un sourire, espérant ardemment que ni Hawke ni sa compagne n'avaient rien remarqué. Il méritait tant d'être heureux…

Les cheveux emmêlés, la peau délicieusement rose, ainsi que les contours sensuels de la bouche de Melissa firent comprendre à Jacoba qu'ils venaient de faire l'amour en bas sur la plage.

Quelques minutes plus tard, quand Hawke la conduisit dans sa chambre, elle lui adressa un air contrit.

— Je suis désolée ! J'aurais dû te prévenir que j'arrivais plus tôt. Je dînerai dans ma chambre ce soir.

— Ne sois pas ridicule, dit-il.

Mais son ton révélait que Melissa Considine devait beaucoup compter pour lui.

— Que se passe-t-il, Jacoba ? Je vois bien que tu as des ennuis.

— Pas exactement, dit-elle avec hésitation.

Mais bientôt, elle lui raconta ce qui s'était passé.

Hawke scrutait son visage avec intensité.

— Tu es amoureuse de ce prince, dit-il doucement.

Jacoba secoua énergiquement la tête.

— Je ne crois pas au coup de foudre.

— Je n'y croyais pas non plus…

Elle lui sourit et le prit dans ses bras avec affection.

— Il était temps ! Je suis si heureuse pour toi. Alors maintenant, va rejoindre Melissa et fais-lui bien comprendre qu'elle n'a pas de quoi s'inquiéter à mon sujet.

— Si elle ne me croit pas, alors elle ne vaut pas la peine que je m'intéresse à elle, dit-il avec détermination.

— Tu ne penses pas ce que tu dis !

Il tira gentiment une mèche de ses cheveux mouillés.

— Tu me connais trop bien. Veux-tu que je force Border à faire paraître un démenti ?

— Pourrais-tu faire ça ?

— Je peux essayer, dit-il en haussant les épaules.

— Non, dit-elle en fronçant les sourcils, cela ne ferait que l'encourager à creuser encore plus. Je venais seulement pour te demander si tu pensais que Lexie et moi avions des raisons de nous inquiéter. Mais, hélas, je n'ai fait que compliquer la situation pour toi.

— Ça n'a pas facilité les choses, admit-il, mais je sais ce que je veux et je finirai par l'obtenir. Quant à vous inquiéter à propos de vos origines illyriennes, Dieu seul sait ce que votre mère a dû traverser avant d'arriver en Nouvelle-Zélande. Ce qui est sûr, c'est qu'elle craignait tant pour votre sécurité qu'elle a réussi à vous effrayer toutes les deux et vous a fait jurer de garder le silence. Je sais que cela n'est pas facile à oublier, mais je suis certain que si elle avait encore été en vie quand Paulo Considine est mort, elle aurait réalisé qu'elle n'avait plus rien à craindre.

Jacoba avait espéré que son absence aurait donné à Hawke la possibilité d'arranger les choses avec sa compagne, mais le matin suivant, il était évident que cela n'allait pas mieux. En effet, la jeune femme se montra froide et distante, et la tension de Hawke était évidente. Melissa repartait le matin même pour l'Illyria.

Jacoba rencontra Hawke devant la porte quand il revint de l'aéroport. Il avait toujours été là pour elle, tel un repère infaillible, mais il avait d'autres préoccupations à présent.

Il regarda sa voiture et les bagages posés sur le siège arrière.

— Qu'est-ce que tu fais ?

— Je n'ai pas le droit de m'imposer à toi, dit-elle avec un petit sourire. Je t'ai utilisé pendant des années, et il est temps que cela s'arrête. De toute façon, tu vas aller la rejoindre, non ?

— Je vais lui laisser quelques jours. Quant à m'avoir *utilisé*, ne sois pas ridicule. Mais il est probablement temps que nous avancions, tu as raison.

Jacoba sentit ses yeux se remplir de larmes.

— Oui, dit-elle simplement. Merci, Hawke.

— Que vas-tu faire maintenant ?

Elle avait eu l'intention d'aller voir Lexie, mais sa sœur partait pour une excursion dans le bush.

— Je vais rentrer à Londres et penser à mon avenir.

— As-tu toujours l'intention d'écrire ce roman ?

— Oui, répondit-elle sans hésiter.

Et pourtant, d'une certaine façon, Marco avait réussi à chambouler ses projets.

Hawke la prit dans ses bras et l'embrassa sur la joue.

— Très bien, dit-il. Mais, juste un mot à propos de Marco Considine. Tu auras peut-être du mal à le décourager, car il sait ce qu'il veut et il finit toujours par l'obtenir…

Jacoba haussa les épaules.

— Ça ira, ne t'en fais pas, et une fois que j'en aurai fini avec les obligations liées au lancement de ce parfum, je retournerai chez moi et je ne le reverrai jamais.

Jacoba referma son téléphone portable d'un coup sec, espérant que, cette fois, son agent comprendrait que cela ne servait à rien de lui proposer d'autres contrats plus lucratifs les uns que les autres.

A Londres depuis quatre jours, elle ne voyait personne et commençait à organiser son avenir.

Les dernières années n'avaient pas été vaines, songea-t-elle. En effet, elle avait rencontré des gens merveilleux et créatifs. Mais sa passion à elle, sa créativité, n'avaient jamais été vraiment utilisées. Et petit à petit, elle prenait conscience de son insatisfaction.

Son téléphone sonna de nouveau.

— Jacoba.

La voix de Marco… Son cœur bondit dans sa poitrine.

— Votre Altesse… quelle surprise ! dit-elle d'un ton faussement enjoué.

— La dernière fois que nous nous sommes rencontrés, tu m'appelais par mon prénom, dit-il d'une voix grave et sensuelle.

— Où es-tu ? réussit-elle à demander posément.

— Devant ta porte.

Eperdue, Jacoba jeta un regard incrédule par la fenêtre. Mais bien sûr, elle ne pouvait pas voir l'entrée de l'immeuble de chez elle.

Combien de fois avait-elle répété cette scène, ces derniers jours ? Pourtant elle était soudain terrifiée.

— Tu aurais pu utiliser l'Interphone, dit-elle bêtement.

— Laisse-moi entrer, Jacoba.

Elle appuya sur le bouton et attendit, pétrifiée, que la sonnette retentisse, regrettant de ne rien porter de plus chic qu'un jean et un vieux pull en laine. Non que cela ait une importance. Rien n'avait d'importance en fait, parce qu'elle allait le renvoyer rapidement.

Quand il arriva enfin, elle alla ouvrir la porte en se forçant à sourire.

La vitalité splendide de Marco semblait éteinte, comme si lui aussi avait enduré des nuits sans sommeil.

— Tu ne méritais pas que je t'insulte ainsi. Pardonne-moi, mais soudain, j'ai pensé que j'avais peut-être mal compris et que tu étais comme tant d'autres femmes que j'ai rencontrées.

— Et maintenant, tu ne le penses plus ?

— Même à ce moment-là, je n'y croyais pas, reconnut-il d'une voix amère.

Confusément, Jacoba se rendit compte qu'il n'avait pas fait allusion à ses liens avec l'Illyria, ce qui voulait dire qu'il n'avait pas lu l'article de Border.

— C'est bon, dit-elle d'une voix faible. Je n'aurais pas dû laisser les choses aller si loin.

— Tu as parfaitement le droit de refuser quand bon te semble, dit-il brutalement.

Il lui tendit la main. « Ne le touche pas ! » s'écria une petite voix en elle, mais il était trop tard. Automatiquement, elle avait déjà posé sa main dans la sienne.

Les doigts de Marco se refermèrent doucement autour des siens. Jacoba sentit sa peau frissonner et, sans le vouloir, elle leva les yeux. Ce qu'elle vit alors dans son regard fit bondir son cœur.

— Tu m'as manqué, dit-il.

— Toi aussi, murmura-t-elle.

Elle aurait été bien incapable de dire qui avait bougé le premier, mais en un instant, elle se retrouva dans ses bras.

Avide de ses baisers, elle leva son visage vers le sien. Et quand la bouche de Marco prit la sienne, elle soupira de ravissement et s'abandonna au désir qui enflammait chaque cellule de son corps.

Sans quitter ses lèvres, il la porta dans le salon. Epanouie dans la sécurité et la chaleur de son corps souple et puissant, s'enivrant de sa senteur musquée à peine perceptible, elle céda alors sans plus de résistance.

8.

Toutes les raisons que Jacoba pouvait avoir de ne pas s'abandonner à son désir se perdirent dans un tourment délicieux. Tout devenait si simple tout à coup…

Vaguement, elle se rendit compte que ses bras étaient enroulés autour du cou de Marco et qu'elle était serrée contre son corps. Eperdus et avides, ils s'embrassèrent jusqu'à ce qu'ils aient besoin de reprendre leur souffle. Il leva alors la tête et la contempla avec des yeux de feu.

— Tu m'as manqué et je te désire comme un fou, dit-il.

Cette déclaration embrasa Jacoba. Avec fièvre, elle laissa ses doigts glisser dans le duvet fin et doux sur le torse de Marco.

Chaque muscle de son corps puissant se raidit. Il la regarda comme s'il refusait de céder aux sensations qui le submergeaient. Sa bouche se serra et elle crut pendant un instant qu'il allait repousser sa main. Pourtant, bien qu'elle sente la tension irradier de son corps magnifique, il la laissa continuer ses caresses, immobile comme un prédateur observant une proie.

— J'ai envie de toi, murmura-t-elle.

Le regard de Marco s'aiguisa et la transperça. Et, comme si l'aveu de Jacoba avait chassé la terrible discipline qu'il s'imposait, il l'embrassa de nouveau, cette fois sans retenue.

— Tu en es sûre ? demanda-t-il soudain contre ses lèvres.

— Oui, dit-elle avec fièvre.

Les yeux de Marco étincelèrent.

— J'aime qu'une femme sache ce qu'elle veut, dit-il d'une voix grave en la reprenant dans ses bras. Guide-moi.

Jacoba le conduisit dans sa chambre. Là, elle frissonna violemment.

— Dis-moi comment monter le chauffage, dit-il aussitôt.

— Je n'ai pas froid.

— Si tu as froid, je te réchaufferai, promit-il avec un sourire triomphant. Lève les bras.

Elle obéit tandis qu'une ivresse incroyable chantait dans tout son corps, s'accordant au rythme joyeux de son pouls. Marco glissa le pull au-dessus de sa tête dans une lente caresse.

— Tu es si belle, murmura-t-il, caressant la courbe d'un sein.

Une jouissance, pure et fulgurante comme une flèche d'or, jaillit alors du plus profond de son intimité. Et sous les mains douces, les pointes de ses deux seins se dressèrent avec impatience.

Soudain, le sourire de Marco se figea et sa poitrine se souleva tandis qu'il respirait profondément. Le fond de ses yeux s'éclaira d'une flamme bleu vif et un gémissement rauque s'échappa de sa gorge, tandis qu'un frisson sauvage traversait le corps de Jacoba.

Il dégrafa fébrilement son soutien-gorge, et elle déboutonna sa chemise, l'écartant de façon à pouvoir admirer son torse musclé. Puis elle suivit du bout des doigts les boucles de sa toison brune avant de descendre sur les muscles fermes de sa taille.

Les muscles de ses épaules et de ses bras se tendirent et il la souleva de façon que ses seins se trouvent au niveau de son visage. Puis il prit une pointe dure dans sa bouche et la goûta. Doucement d'abord, puis plus vigoureusement, quand des gémissements extasiés s'échappèrent des lèvres de Jacoba.

Elle se pressa contre lui, et il l'étendit sur le lit, restant debout à côté d'elle comme un sombre conquérant.

Enfin il ôta son pantalon et vint s'allonger à côté d'elle.

— Tu ressembles à une déesse, dit-il. Et quand je t'ai vue sur la plage, j'ai pensé à Vénus sortant des flots...

Jacoba eut un mouvement de surprise quand il enferma ses deux mains dans l'une des siennes et les tendit au-dessus de sa tête, les ancrant dans les oreillers.

— Je voudrais d'abord me déshabiller, protesta-t-elle, luttant pour se libérer.

— Si tu le fais, tout sera fini, dit-il brutalement. Le simple fait de te regarder m'excite tellement que je peux à peine me contrôler.

Puis il appuya son front contre le sien et après avoir glissé sa main libre vers le jean de Jacoba, il en ouvrit la fermeture Eclair.

— Marco, j'ai envie de toi..., dit-elle, haletante.

— J'aime que tu m'appelles par mon prénom. Je veux l'entendre souvent sortir de ta bouche...

Tandis qu'il disait ces derniers mots, il se mit à caresser le cœur de sa féminité. Submergée par un flot de sensations divines, Jacoba s'arqua contre sa main. Elle sentit tout son être trembler jusqu'à ce que la dernière vague étincelante se retire, la laissant rêveuse et comblée.

Alors il fit glisser le jean de Jacoba le long de ses jambes. Quelques instants plus tard, il entra en elle en une poussée vigoureuse. Envahie par une nouvelle montée de désir, Jacoba l'accueillit en gémissant.

Elle s'attendait à ce qu'il s'enfonce plus loin, mais pendant de longues secondes il resta immobile, chaque muscle tendu, comme s'il s'habituait à elle. Ouvrant les yeux, elle rencontra les siens, farouches et fiévreux.

Aussitôt, elle murmura son prénom sur une note longue, languissante, et des muscles dont elle ne soupçonnait pas l'existence se serrèrent étroitement pour le garder en elle.

Il fronça les sourcils, comme s'il lisait dans son esprit, puis, délibérément, il se retira. Avant qu'elle ait eu le temps de protester, il s'enfonça de nouveau en elle, les muscles de ses puissantes épaules se contractant sous sa peau de bronze lisse.

Cette fois, un petit cri sortit de la bouche de Jacoba. Il lui sourit et recommença, établissant un rythme qui était à la fois un supplice et un ravissement.

Le désir dévorait Jacoba, aiguisait ses sens. Elle s'abandonna à la tension vertigineuse et enivrante qui, inexorablement, prenait possession de tout son être et l'emmenait de plus en plus loin.

Cela vint violemment, comme un éclair, comme le tonnerre. Vague après vague, un tumulte inouï la transporta très haut, dans un univers inconnu. Leurs corps étaient si accordés l'un à l'autre que, quand elle atteignit le sommet du ravissement, il la rejoignit tandis qu'une longue plainte s'exhalait de ses lèvres et résonnait dans la pièce silencieuse.

Chaque muscle de son corps puissant se contracta et ses bras se resserrèrent autour d'elle tandis qu'ensemble, ils grimpaient jusqu'au point culminant de leur extase et restaient suspendus dans un accomplissement qui anéantissait toute pensée.

Et ils en redescendirent paresseusement, doucement, enfermés dans les bras l'un de l'autre. Le seul bruit qui résonnait alors dans la chambre était celui de leurs respirations hachées et celui du battement mêlé de leurs deux cœurs.

Finalement Marco desserra son étreinte. Comme elle s'accrochait à lui, il embrassa sa tempe.

— Je vais me pousser, je suis trop lourd, lui dit-il avec tendresse.

— Non, chuchota-t-elle.

Mais il se tourna néanmoins sur le côté et l'attira contre lui. Epuisée et en paix, Jacoba sentit son propre corps se lover contre le sien. D'une certaine manière, songea-t-elle confusément tandis que le sommeil assombrissait les bords de sa conscience, c'était encore plus doux que de faire l'amour.

Pendant quelques instants, elle put même se leurrer et penser que Marco ressentait pour elle plus qu'un simple désir charnel…

Quand elle se réveilla, de grand matin, Jacoba était seule dans son lit. Elle resta immobile et tendit l'oreille, mais l'appartement était bien vide.

Marco était parti. Il lui avait dit qu'on l'attendait pour une réunion à Dubai, se souvint-elle… Mais son absence lui faisait mal. Une douleur vive vrillait dans une partie secrète d'elle-même qui n'avait jamais été touchée auparavant.

Refoulant des larmes brûlantes et stupides, elle se força à se détendre. Après tout, il ne lui avait rien promis, et elle non plus. Tout ce qu'il désirait était probablement une brève aventure.

Elle aurait dû se forcer à se lever, mais les souvenirs flottaient dans son esprit, l'envoûtant par leur douceur, leur passion…

Elle l'entendait encore murmurer son prénom, elle pouvait encore entendre les mots prononcés par sa voix profonde.

Brusquement, elle se raidit et ouvrit grands les yeux. Il avait parlé en illyrien — et elle avait répondu. Fiévreusement, elle cherchait dans sa mémoire, repassant encore et encore les mots dans son esprit.

Oui, il avait bien parlé en illyrien, et elle frissonna. « Je vais me pousser, je suis trop lourd… »

Avait-elle répondu dans la même langue ? Elle avait beau essayer de se concentrer, elle ne pouvait s'en souvenir.

Et de toute façon, même si elle avait répondu en anglais, elle s'était trahie, car cela montrait qu'elle avait compris sa phrase en illyrien.

« Oh, quelle idiote je fais ! » se fustigea-t-elle, la panique la frappant comme un coup dans l'estomac.

94

Bientôt, il réaliserait qu'elle comprenait l'illyrien. Ensuite, il se demanderait pourquoi elle le lui avait caché. Et il verrait alors sous un éclairage nouveau les commentaires de Gregory Border, dont il aurait forcément connaissance à un moment ou à un autre.

Terrifiée, elle essaya une fois de plus de se convaincre que, avec le démantèlement de la police secrète, quelques années plus tôt, ni elle ni Lexie n'avaient rien à redouter.

Mais elle devait néanmoins prévenir sa sœur. Jacoba regarda sa montre. C'était le soir en Australie. Si Lexie avait connecté son portable, et si la connexion avec le bush était possible, ce dont elle doutait fortement, elle pourrait peut-être la joindre.

Elle composa le numéro et attendit avec impatience. Non, Lexie ne répondait pas. Elle se précipita sur son ordinateur portable et rédigea rapidement un e-mail, espérant que dans les déserts rouges du centre de l'Australie, sa sœur aurait accès à un ordinateur.

C'était à la une du pire journal à scandale le soir suivant : « La nouvelle conquête du prince Marco. » L'article était accompagné de photos de mauvaise qualité.

« Oh non ! » s'exclama-t-elle, passant une main tremblante dans ses cheveux.

Jacoba avait soudain l'impression que tous les yeux étaient braqués sur elle. Elle se hâta d'acheter un exemplaire et courut chez elle pour lire l'article avec une rage qui tourna rapidement à l'angoisse.

Le journaliste d'Auckland avait vendu ses informations à Londres, et ses liens avec l'Illyria étaient de nouveau mentionnés. A son grand soulagement, Lexie n'était pas citée.

Evidemment, quelqu'un avait été dénicher une photo d'elle où elle était vêtue de la toilette la plus provocante qu'elle ait jamais présentée. Elle avait été prise lors d'un défilé d'avant-garde qui avait eu lieu à Paris, des années auparavant. La robe du soir exhibait largement ses longues jambes et ses seins, et Jacoba n'avait pas aimé la porter. A présent, elle frémissait de dégoût.

« Le prince et la putain », murmura-t-elle, regardant celle de Marco, mince et puissant en vêtements de ski, prise au bas d'une piste en Suisse.

Heureusement, elle allait travailler trois jours dans les Cayman Islands pour un magazine de mode spécialisé, se dit-elle pour tenter de se rassurer.

Quand elle partit, elle fut la proie des photographes, mais elle sourit et les ignora. Et posant sous le soleil tropical, elle fut enfin libérée des assauts de la presse, mais la tranquillité d'esprit dont elle rêvait était loin d'être atteinte.

Le dernier soir avant de rentrer à Londres, elle reçut enfin un e-mail de Lexie.

> Maman était terrifiée par la police secrète parce qu'elle était l'épouse du dictateur. C'était mon père.

Abasourdie, le cœur battant sauvagement dans sa poitrine, Jacoba contemplait le message.

— Non..., murmura-t-elle.

Les yeux incrédules, elle lut le reste de la lettre.

> Les vendettas font partie de la vie quotidienne en Illyria, surtout dans les montagnes, d'où viennent maman et les Considine. Le prince Alex essaie de les éradiquer, mais il y en a toujours. Si quiconque peut prouver qui tu es, tu seras en réel danger. Pour moi, ça ira, car très peu de gens savent que je suis ta sœur.

En dessous de sa signature, elle avait ajouté :

Je comprendrais que tu ne veuilles plus rien avoir à faire avec moi. Maman disait que mon père avait fait tuer le tien pour pouvoir l'épouser, et qu'elle avait été forcée de le faire parce qu'il menaçait de te tuer.

— Oh, mon Dieu ! soupira Jacoba, saisie d'une nausée horrible.

Ce n'était pas *elle* qui était en danger. Car, si les vendettas sanglantes faisaient toujours des ravages en Illyria, Lexie serait la cible une fois que tout le monde saurait qu'elle était la fille de Paulo Considine.

Jacoba n'osait pas sous-estimer cette pratique moyenâgeuse des vengeances. Lexie était méthodique et pratique, elle avait donc vérifié ses dires. Si elle disait qu'elles existaient encore en Illyria, c'est que c'était vrai.

Elle passa les quelques heures suivantes à faire des recherches sur internet. Hélas, c'était bien la triste vérité. Elle essaya de réfléchir au moyen de protéger sa sœur. A la fin, la seule chose qui lui parut raisonnable était d'en parler à Marco.

Et si lui aussi était partisan des vengeances sanglantes ? Non, pensa-t-elle, c'était impossible. Elle bondit sur ses pieds et alla regarder à la fenêtre sans rien voir.

Il était impitoyable, d'accord, mais elle ne pouvait imaginer cet homme sophistiqué se livrer à des pratiques aussi primitives et violentes. Non, si quiconque savait comment réagir dans cette situation, c'était Marco et, pour le salut de Lexie, elle lui demanderait conseil.

Son cœur se serra. Pourquoi, de tous les hommes de la planète, devait-elle désirer celui-ci, qui lui était interdit ?

*
* *

97

Elle était de retour à Londres depuis un jour seulement quand son téléphone sonna.

— C'est Marco Considine, laisse-moi monter.

Le cœur battant à toute allure, elle alla déverrouiller la porte et attendit qu'il surgisse. Dès qu'elle le vit, elle comprit qu'il était en colère. Même s'il gardait farouchement le contrôle de lui-même, cela émanait de lui comme une aura glacée.

Il sait, se dit-elle avec appréhension.

— Que se passe-t-il, pourquoi es-tu ici ? demanda-t-elle en tremblant.

— Tu n'as rien à me dire ?

Elle recula d'un pas.

— Je ne vois pas de quoi tu veux parler.

— Je suis sûr que si, dit-il dédaigneusement en lui tendant une enveloppe. Lis ceci.

Nerveusement, elle en sortit le document qui s'y trouvait et le lut. Elle se sentit alors blêmir et dut se cramponner au dossier d'une chaise.

Oh, comme Gregory Border avait dû rire intérieurement quand Marco l'avait menacé... Il l'avait, sa revanche... Depuis quand savait-il qui elles étaient, elle et Lexie ?

Quand elle eut fini, elle leva la tête et le regarda.

— Ceci... ceci est un tissu de mensonges ! Comment *ose*-t-il ? s'exclama-t-elle avec rage.

— C'est la vérité, tu le sais parfaitement, dit-il d'une voix tout à fait calme et dénuée de chaleur.

— Mon père n'était pas illyrien, dit-elle farouchement. Il était écossais et il est mort en combattant les forces de Paulo Considine dans les montagnes.

— Il a certainement péri dans l'embuscade qui a tué mes grands-parents, mais c'était un médecin illyrien, affirma-t-il avec une précision glaciale. Et ta sœur est la fille de Paulo Considine.

Une immense peine serra la poitrine de Jacoba et elle détourna

98

le visage rapidement pour qu'il ne voie pas la tristesse dans ses yeux.

— Je sais tout cela, mais le reste est faux.

— Qu'est-ce qui est faux ? Que ta mère était la maîtresse de Paulo Considine avant de devenir sa femme ? Qu'est-ce qu'elle t'a dit ? demanda-t-il.

— Rien, rien ! Mais je sais qu'elle n'était pas sa maîtresse…, s'écria Jacoba.

— J'en ai la preuve.

— Quelle preuve ? demanda-t-elle avec colère.

— Des photographies d'eux ensemble, pas beaucoup, mais il y en a. Des photos de toi et de ta sœur, des grands titres de journaux. Ce n'était un secret pour personne, il était fier de sa belle épouse et de son enfant.

Elle secoua la tête si violemment qu'elle vit la pièce tournoyer devant ses yeux.

— Non, répéta-t-elle d'une voix plus douce.

Ses yeux cherchèrent les siens, et elle lut la dure vérité dans leurs profondeurs glacées.

— Je pense que ta mère ne voulait peut-être pas que ses enfants connaissent la situation, dit-il. Ce qui serait parfaitement compréhensible de sa part.

— Tu te trompes…, commença-t-elle.

Mais sa voix s'éteignit et elle passa une main tremblante sur ses lèvres.

Il la regarda intensément, son beau visage distant et dur comme du granit.

— Ce n'est pas la faute de ta sœur. Ni la tienne, ajouta-t-il avec froideur. J'ai déjà pris les dispositions nécessaires pour freiner l'intérêt des médias.

— Je ne crois pas un instant que ma mère ait été sa maîtresse, insista-t-elle. Ou, si elle l'était, c'était sous la menace. Elle haïssait Paulo Considine, il la terrifiait…

— Peut-être, mais pour lui, elle a trahi son premier mari, ton père, dit-il d'un ton implacable.

— Elle n'aurait jamais trahi quiconque ! Elle était la personne la plus loyale, la plus honnête, la plus droite que j'aie jamais connue…

— Même les gens honnêtes, droits et loyaux peuvent être manipulés, dit-il, sans se départir de son ton d'acier. Ne t'a-t-elle jamais parlé de sa vie en Illyria ?

— Elle en parlait rarement, reconnut-elle. Elle était terrifiée à l'idée que la police secrète puisse la retrouver.

— Que tu me croies ou non, ta sœur est une Considine, et vous êtes les filles d'une femme qui a trahi à peu près quinze personnes au profit du dictateur. Elles sont toutes mortes : certaines ont été fusillées, d'autres exécutées de ses propres mains, d'autres encore par celles de ses bourreaux.

— Dès qu'elle en a eu la possibilité, ma mère a fui. D'après toi, cela ne signifie rien ?

— Cela signifie seulement que même les femmes les plus assoiffées de pouvoir peuvent être parfois de bonnes mères.

Il leva la main pour la faire taire.

— Et qu'elle était assez intelligente pour comprendre que, puisqu'elle n'était plus capable de lui donner un fils…

— Que veux-tu dire ?

Il haussa les sourcils.

— Il y a eu des problèmes à la naissance de ta sœur et ta mère n'aurait pas pu avoir d'autres enfants. Le dictateur voulait un fils. Elle a probablement compris quel avenir l'attendait, elle et ses enfants. Et elle a fui.

— Je ne te crois pas, répéta-t-elle mécaniquement, incapable d'associer sa mère à ce drame sanglant.

— Ta loyauté est tout à ton honneur, répondit Marco, mais rien de tout cela n'est important. Je veux que tu appelles ta sœur et que tu lui dises de se préparer à partir pour l'Illyria.

— Pourquoi ? demanda Jacoba, soudain effrayée.

— Parce qu'il est possible qu'il y ait des réfugiés illyriens en Nouvelle-Zélande ou en Australie qui entretiennent encore des projets de vengeance, reconnut-il. Ta mère ne vous a jamais parlé des vendettas, spécialement parmi les gens de la montagne ?

Une peur glacée s'empara d'elle.

— Je… oui, murmura-t-elle. Mais pas beaucoup.

— Elle redoutait la police secrète, oui, mais aussi que les parents des gens qu'elle avait trahis retrouvent sa trace et la tuent.

— Et nous aussi ? dit Jacoba d'une voix blanche.

Il haussa les épaules.

— Peut-être, c'est possible.

Terrifiée pour Lexie, Jacoba secoua de nouveau la tête.

— Les Illyriens croient-ils vraiment que ma mère ait trahi tous ces gens ? demanda-t-elle en scrutant son beau visage impitoyable.

— Oui, répondit-il froidement. Mais si l'Illyria veut devenir un pays moderne, la soif de vengeance personnelle doit être balayée de la conscience nationale. Et nous devons tous apprendre à pardonner. Et puis, ta sœur est une Considine, et nous protégeons les nôtres.

Impersonnel et sans chaleur, son regard scrutateur lui faisait si mal… Elle pressa le dos de sa main sur ses lèvres sèches avant de la laissa retomber mollement à son côté.

— Je ne sais pas si je peux te faire confiance, dit-elle d'une voix atone. Si ce que tu affirmes est vrai, alors toi et ton frère, et le prince Alex, êtes ceux qui devraient vouloir le plus éliminer Lexie.

— Jacoba, dit-il aussitôt, tu n'es pas en sécurité non plus. Tu as hérité du fardeau de la trahison de ta mère. Les vendettas sont une réponse dans une société où la justice n'est pas respectée. Il n'y a pas de place pour elles dans le monde moderne. Une partie de la tâche d'Alex, et de ceux qui ont échappé à la cruauté du dictateur, est de convaincre les gens des montagnes qu'aujourd'hui, ils peuvent laisser la justice aux mains de l'Etat.

Il souleva le menton de Jacoba pour la forcer à le regarder dans les yeux.

— A présent, crois-tu que toi et ta sœur ne subirez pas de vengeance de notre part ?

Cet homme l'avait emmenée au paradis, mais elle le connaissait si peu, pensa Jacoba, désemparée. Elle pensa à sa réputation dans le monde des affaires, « impitoyable mais juste », à sa douceur et sa tendresse après qu'ils avaient fait l'amour...

— Oui, je le crois, murmura-t-elle.

— Une fois que les Illyriens verront que les Considine vous ont acceptées, toute cette histoire s'évanouira. Toi et ta sœur serez en sécurité, dit-il en hochant la tête.

Elle scruta son visage, cherchant en vain quelque signe de chaleur. Mais il la regardait avec un froid détachement qui lui déchirait le cœur.

— Est-ce la seule façon de traiter la question ? demanda-t-elle d'une petite voix, en détournant les yeux.

— Oui. Quant à notre relation, puisqu'elle a été rendue publique... La seule solution, c'est d'annoncer nos fiançailles.

— *Quoi ?*

Abasourdie, elle le dévisageait avec intensité. Ses yeux transparents étaient impérieux et glacés. Non, il ne plaisantait pas. Il avait l'air parfaitement maître de la situation, comme d'habitude.

— Non, dit-elle, le cœur bondissant violemment dans sa poitrine, c'est une idée complètement folle.

— Cela peut sauver ta sœur, dit-il d'une voix ferme.

— Je... En es-tu sûr ? demanda-t-elle en se sentant rougir.

— Cet acte signifiera que les Considine renoncent à toute vengeance.

— Et si quelqu'un d'autre décide de se venger ?

Marco haussa les épaules avec négligence.

102

— Notre famille est supposée avoir souffert le plus, notre droit de prendre notre revanche l'emporte donc. Une fois que nous aurons montré clairement que nous ne voulons plus d'autres morts, ce sera fini.

— Peux-tu être sûr de cela ?

Il acquiesça d'un signe de tête.

— La coutume était barbare, mais elle avait ses règles. Je ne mens pas, Jacoba, c'est trop important, dit-il avec un sourire sardonique. Et il y avait un moyen de mettre fin aux vendettas.

— Lequel ?

— Marier une fille du clan à l'un des ennemis scellait souvent la paix.

Son sourire était totalement dénué d'humour et sa réponse frappa Jacoba comme un coup de fouet.

9.

— Mais nous n'aurons pas besoin d'aller aussi loin, l'entendit-elle continuer. Des fiançailles suffiront. Et quand les émotions seront suffisamment apaisées pour que toi et ta sœur soyez en sécurité, nous y mettrons un terme à l'amiable.

— Mais…, murmura Jacoba, tout en sentant son cœur se déchirer dans sa poitrine. Comment le prince Alex va-t-il réagir ?

— J'ai discuté de tout cela avec lui ainsi qu'avec mon frère, dit-il brutalement, et ils sont d'accord. C'est la meilleure façon de gérer cette situation difficile.

Marco scruta le visage baissé de Jacoba et une sensation étrange l'envahit. Sa loyauté envers sa mère disparue et sa sœur était admirable. Il se surprit alors à se demander si elle était aussi loyale envers ses amants.

— Il y a seulement un an, un homme a été tué dans une vendetta. Le prince Alex a décidé que le meurtrier serait pourchassé et traduit en justice pour son acte, expliqua-t-il durement.

Il vit la couleur quitter le visage de la jeune femme.

— A-t-il été pris ?

— Oui, et jugé. Il a reconnu les faits, mais le jury l'a acquitté.

— *Acquitté ?* Ainsi, c'est profondément enraciné dans la conscience nationale…

104

Elle le dévisageait avec des yeux agrandis par l'angoisse, les mains nouées devant elle.

— Exactement. Comme Alex essaie d'imposer la loi, il a été obligé de le relâcher, mais après en avoir délibéré avec le Conseil et le Parlement, il a décidé qu'à l'avenir, ce serait lui-même, avec l'aide de deux juges, qui jugerait quiconque serait accusé d'un meurtre de vengeance. Mais jusqu'à présent, personne ne sait si cela suffira à les arrêter.

Ses paroles anéantirent Jacoba. Elle baissa les yeux et fixa ses mains. Pour la première fois de sa vie elle avait envie de se rouler par terre et de hurler.

— Réponds-moi franchement : si je refuse, est-ce que tu crois que Lexie sera en danger ?

— Je crois qu'il est possible que *toutes les deux* vous soyez en danger. C'est aussi ce que pensent mon frère et les hommes de confiance consultés par le prince Alex, répondit-il aussitôt.

Elle ferma brièvement les yeux tandis qu'il poursuivait calmement :

— Et si tu refuses, je vous ferai transférer dans le château de Gabe, en Illyria, où vous resterez jusqu'à ce que je décide que la situation est assez sûre pour que vous puissiez reprendre vos vies ordinaires.

— Tu n'es qu'un salaud arrogant ! lui jeta-t-elle avec mépris.

— En tout cas, je sais ce que j'ai à faire. Nos fiançailles seront annoncées demain, trancha-t-il. Où est ta sœur ?

— Pourquoi veux-tu le savoir ?

— Je veux qu'elle aille en Illyria, où nous pourrons la protéger. Décide-toi, Jacoba. Ou tu me fais confiance, ou tu restes sur tes positions. Maintenant que ce journaliste a révélé ta véritable identité, nous n'avons pas de temps à perdre. Il y a des réfugiés illyriens en Nouvelle-Zélande.

Il savait ce qu'il fallait faire…, songea Jacoba, éperdue. Et au fond d'elle, elle lui faisait confiance. Pourtant, elle devait rassembler tout son courage pour lui révéler où se trouvait Lexie. Si jamais elle se trompait…

— J'enverrai immédiatement quelqu'un la chercher, continua-t-il. Peux-tu la prévenir de ce qui va se passer ?

— Il n'y a pas beaucoup de cafés internet dans le bush.

— Il doit bien y avoir un moyen de les joindre, dit-il sèchement en regardant sa montre. Un joaillier devrait arriver d'une minute à l'autre pour que tu choisisses une bague, je suggère un rubis. Non seulement c'est la pierre traditionnelle de notre maison, mais cette couleur te va bien.

Il la toisa quelques secondes avant d'ajouter :

— Et avant que tu me poses la question, je te rassure tout de suite. Tu n'as aucune crainte à avoir, tu ne seras pas ma maîtresse pendant nos fiançailles.

Ses paroles frappèrent son cœur comme autant de coups de couteau.

— Je ne m'attendais pas à autre chose, dit-elle avec fierté.

— Alors nous sommes d'accord.

Puis il se détourna au moment où la sonnette retentissait à la porte.

— Essaye celle-ci, dit Marco.

Il désignait à Jacoba un rubis qui étincelait de feux sombres. Serties autour de la pierre, des perles d'or clair en rehaussaient l'éclat vermeil. L'ensemble aurait pu être clinquant, mais l'art de son créateur et la juxtaposition des teintes lui donnaient une splendeur à la fois dramatique et exotique.

— Elle est originale, dit le joaillier devant l'hésitation de la jeune femme. Peut-être madame préférerait-elle un solitaire.

Jacoba laissa glisser son regard sur la première bague. Elle ne ressemblait pas à une bague de fiançailles…

— Non, dit-elle avec indifférence. Celle-ci.

Elle lui allait parfaitement.

— Parfait, approuva sévèrement Marco.

— Et maintenant ? demanda-t-elle quand ils furent de nouveau seuls.

— Nous partons pour l'Illyria dans une heure.

— Quoi ? s'exclama-t-elle, abasourdie.

Il prit son coude et la força à le regarder dans les yeux.

— Je sais que tu n'as pas d'engagements avant ce bal, la semaine prochaine pour le lancement du parfum, dit-il d'un ton neutre. Habitue-toi à cette comédie que nous jouons, Jacoba. Et n'oublie pas que cela peut aider l'Illyria.

— Comment ? demanda-t-elle d'un air de défi en se dégageant.

Il répliqua en illyrien.

— Cela pourrait apporter un changement chez notre peuple. Bien que cela soit moins concret que l'argent que tu as envoyé régulièrement aux institutions caritatives depuis qu'Alex est sur le trône, c'est peut-être plus important à long terme.

— Comment le sais-tu ? J'ai envoyé l'argent anonymement, répliqua-t-elle d'un ton sec.

— Ce n'était pas très difficile de découvrir qui envoyait de telles sommes, dit-il avec un sourire cynique.

Effectivement, quand on avait les moyens de faire appel à une entreprise de détectives privés, songea-t-elle avec amertume.

— Tu es très pâle, ajouta-t-il en anglais. Toute cette histoire a été un choc pour toi. Tu verras, la gouvernante du château est toujours ravie de dorloter les invités.

Le soleil auréolait d'or le sommet blanc des montagnes quand l'hélicoptère descendit et atterrit près du château qui semblait sortir d'un conte de fées. Oui, un conte de fées sinistre, songea Jacoba avec un serrement de cœur.

Elle entendit la voix de Marco.

— Voici le Repaire du Loup. Malheureusement, Gabe n'est pas là. Il te prie de l'excuser, mais il se trouve dans la capitale pour le moment.

Ici, dans cette vallée chargée du poids du passé, une appréhension confuse la rendait tendue et nerveuse. C'était comme si quelqu'un, ou quelque chose, attendait son arrivée depuis longtemps.

Après le dîner, Marco l'examina un long moment en silence.

— Tu es fatiguée, dit-il enfin.

Oui, fatiguée et terriblement triste…, songea-t-elle avec amertume.

— La journée a été longue.

— Tu devrais aller te coucher.

Il l'accompagna jusqu'à sa chambre et lui ouvrit la porte. Elle allait passer devant lui quand il la prit soudain dans ses bras et l'embrassa avec une ardeur contenue qui l'enflamma.

Brusquement il la relâcha, et elle se rendit compte que quelqu'un se déplaçait en silence dans la pièce.

Ecœurée, elle comprit pourquoi il l'avait embrassée. Pour donner le change…

— Tu as aperçu Marya cet après-midi, expliqua Marco, elle a travaillé pour nous toute sa vie. Et maintenant elle est la gouvernante du château.

Jacoba sourit à la vieille dame et lui adressa les salutations illyriennes traditionnelles.

— Que Dieu vous bénisse, vous et vos enfants.

La gouvernante lui rendit son sourire, tout en l'observant de ses yeux sombres et intenses.

— Qu'il vous bénisse également. Et que votre sommeil ne soit pas encombré de mauvais rêves.

Elle s'inclina et s'éloigna dans le couloir pavé, sous le regard des ancêtres Considine qui semblaient surveiller le passage.

— C'est une très forte personnalité, dit-elle simplement.

— Oui, répondit Marco, notre famille lui doit beaucoup.

Jacoba le regarda d'un air interrogateur.

— Elle a caché le Sang de la Reine et l'a gardé hors de portée du dictateur, et elle a souffert à cause de sa loyauté, continua-t-il.

Jacoba hocha la tête. Elle avait entendu parler du « Sang de la Reine », le trésor de la famille, un ensemble de joyaux de rubis et d'or qui avait une valeur inestimable et qui était si ancien que personne ne savait plus qui l'avait conçu.

— Demain matin, nous irons faire une promenade à cheval. Dors bien.

Malheureusement, Jacoba eut beaucoup de mal à s'endormir et elle fut obligée de prendre un somnifère, ce qu'elle faisait d'habitude quand elle changeait de fuseau horaire. Son sommeil fut néanmoins peuplé de cauchemars et elle se réveilla tôt, des larmes brûlant ses paupières.

Pleurer n'arrangerait rien, se dit-elle avec fermeté. Aussi se força-t-elle à se lever, à prendre une douche et à enfiler un jean et un pull de laine.

On frappa doucement à la porte. La gouvernante lui apportait du thé, des fruits et du fromage, et quelques tranches du pain rustique et dense que sa mère confectionnait parfois pour elles.

La vieille femme posa le plateau sur la table près de l'une des fenêtres à carreaux en forme de losanges.

— Pour vous faire patienter jusqu'au petit déjeuner, dit-elle. Le prince a été appelé au téléphone… Et il vous envoie ce journal, d'Angleterre. Et un d'ici.

Les journaux parlaient de la famille perdue du dictateur. Et soit par crainte de la puissance des Considine, soit grâce à l'habileté des spécialistes en communication de la famille royale, la plupart des journalistes avaient décidé de traiter l'affaire sous un jour romantique, mettant l'accent sur la réconciliation de la famille.

Il n'y avait aucune allusion au fait qu'Ilona Sinclair avait été la maîtresse du dictateur. Soulagée, Jacoba se força à avaler quelques fruits et à boire du thé tandis que la gouvernante s'affairait ici et là dans la chambre.

Ensuite, elle escorta Jacoba en bas, dans le hall où Marco parlait avec son frère Gabriel, grand-duc d'Illyria, qui était rentré dans la nuit.

Jacoba regarda les deux hommes. Les rayons du soleil qui pénétraient par une haute fenêtre jetaient des flammes bleues sur leurs deux têtes sombres, et caressaient leurs traits fiers et méditerranéens.

Les deux hommes levèrent la tête quand elles vinrent vers eux, mais Jacoba n'avait d'yeux que pour le prince.

Ses yeux pâles étincelèrent et il lui tendit la main.

Elle eut assez d'élégance pour adresser un sourire rapide au grand-duc tandis qu'elle lui était présentée. Ensuite, Marco l'attira contre lui et elle eut immédiatement l'impression de revivre.

— Et où avez-vous l'intention d'aller ? demanda le prince Gabe à son frère.

— Vous devriez l'emmener à la Pierre, intervint la gouvernante avant que Marco ait eu le temps de répondre.

Le prince regarda Jacoba.

— Veux-tu voir la Pierre ? demanda-t-il. C'est un monolithe qui se trouve près du défilé et qui occupe une place particulière dans l'histoire de notre famille.

Il était aussi bon acteur qu'elle, meilleur même, songea-t-elle douloureusement, en notant la tendresse dans sa voix et la chaude lueur au fond de ses yeux.

— Dans l'histoire du *pays*, précisa Gabe.

— Oui, cela me plairait beaucoup, dit Jacoba en souriant.

Tout en gravissant la pente raide qui traversait la forêt, elle gardait le regard fixé entre les oreilles de son cheval noir et racé.

— Votre gouvernante ne semble pas m'en vouloir, remarqua-t-elle.

— Elle a eu une vie très dure. Paulo Considine était particulièrement cruel avec ceux qui avaient un lien avec la famille royale. Marya travaillait comme gouvernante au château, et elle a beaucoup souffert : elle a tout perdu. Elle connaissait ta mère, acheva-t-il d'un ton neutre.

— Vraiment ? demanda Jacoba en tressaillant.

— Oui. Et comme toi, elle ne croit pas qu'elle ait été la maîtresse de Paulo. Ni qu'elle ait trahi les partisans.

Jacoba ne dit rien. Une sensation étrange tendait son dos, comme si quelqu'un l'observait, tapi dans les fourrés.

Juste à ce moment, Marco approcha sa monture plus près de la sienne.

— Aie confiance en moi, dit-il d'un ton sévère. Ou si tu n'y arrives pas, fais confiance aux hommes de sécurité de Gabe et à l'honneur d'Alex.

La nuit dernière, allongé dans son lit et ravagé de désir pour Jacoba, Marco avait pensé encore une fois qu'aucun d'eux n'avait été élevé en Illyria. Bien qu'ils aient grandi immergés dans sa culture et ses traditions, seul Alex avait vraiment vécu ici — et encore, seulement pendant les dix premières années de sa vie.

Quand ils avaient parlé de ses fiançailles avec la jeune femme, lui et Gabe avaient demandé son avis à Marya.

— Mais oui, il faut l'épouser, avait-elle dit calmement.

— Croyez-vous que cela servira à quelque chose ?

Elle avait haussé les épaules.

111

— C'est la *seule* chose à faire, avait-elle répondu.

Bon sang, comme il espérait qu'elle ait raison… Et pas seulement pour le salut de l'Illyria… Si quelque chose arrivait à Lexie, il savait que Jacoba ne s'en remettrait pas.

Elle le regardait à présent, de ses splendides yeux innocents.

— J'ai confiance en vous tous. De toute façon, que pouvons-nous faire d'autre ?

Marco lui fit un signe de tête.

— Nous sommes arrivés. Nous allons attacher les chevaux là-bas.

Jacoba descendit de sa selle et étira ses jambes. Un peu plus tard, elle laissa échapper une exclamation de surprise quand ils débouchèrent dans un petit vallon verdoyant.

— Elle est énorme, souffla-t-elle, en regardant la pierre massive dressée vers le ciel. Combien d'hommes a-t-il dû falloir pour la soulever ?

— Des centaines, répondit-il brièvement.

Venu de la forêt, un ruisseau minuscule courait autour de la pierre, puis s'en allait disparaître dans un bosquet de conifères sombres. Le silence n'était troublé que par le doux ruissellement de l'eau, qui se déversait probablement au loin sur une falaise, derrière les arbres.

Fascinée, Jacoba frissonna.

— Dis-moi que je suis folle, j'ai l'impression qu'elle est consciente de notre présence, murmura-t-elle.

— On dit qu'elle est hantée par l'esprit de l'un de mes ancêtres, répondit-il calmement. Une femme qui fut assassinée ici à cause du trésor qu'elle portait : le Sang de la Reine.

— Est-ce que c'est ainsi que le trésor est venu dans votre famille ? demanda-t-elle, impressionnée.

— Non, pas exactement. C'est une vieille histoire. Quand les bandits la tuèrent, cette reine se changea en esprit, en fantôme, et garda son trésor jusqu'à ce que le premier Considine arrive ici, probablement de Grèce. Alors elle se manifesta à lui sous une forme humaine, et finalement, il l'épousa. D'après les paysans, tous les Considine sont ses descendants.

10.

gards sur elle — que tu — c'est que je pressens. Cela, dire arrivé ici
paisiblement de Gif ou... Mais, elle se rapprocha à lui sous un
ruisselant... Claude ... Donna ... Donca. D'après les Voyages
Trois Sœurs Continue sous ses bouclettes

Pendant un moment interminable, Marco la contempla de
derrière ses cils épais, les lèvres serrées. Jacoba ressentit alors une
telle douleur qu'elle dut redresser la tête dans un geste de défi.

— Ne me regarde pas comme ça, dit-il brutalement.

— Je ne vois pas ce que tu veux dire, lança-t-elle, le cœur
battant à un rythme fou.

— Avec cet air de défi irrésistible, dit-il en s'approchant.

En proie à un vertige délicieux, elle sentit soudain les bras de
Marco se refermer autour d'elle.

Et il l'embrassa.

Elle s'accrocha à lui et enfonça ses doigts dans ses cheveux épais.
Et sans pudeur aucune, elle se livra entièrement, laissant son baiser
lui révéler tout ce qu'elle avait enfoui au fond de son cœur.

Pendant de longs moments, leurs bouches se dévorèrent, s'arrêtant seulement pour échanger des paroles qui attisaient encore
le brasier qui les consumait.

Tout à coup il la lâcha.

— Je suis désolé, dit-il. Je t'ai fait une promesse.

Jacoba dut se détourner pour qu'il ne puisse pas voir la tristesse
envahir ses yeux.

Puis elle leva la main et ôta la pince qui retenait ses cheveux noués
sur la nuque, laissant ainsi les mèches ruisseler sur ses épaules.

— Tout va bien, dit-elle d'une voix ferme.

A cet instant, elle le vit tourner la tête. Mais quand elle se tourna pour suivre son regard, il la saisit violemment et la poussa derrière lui, contre la pierre.

— Qu'y a-t-il ? bredouilla-t-elle.

Une terreur primitive la terrassa soudain et des visions d'ours et de loups traversèrent son esprit en un éclair.

— Tais-toi, gronda-t-il.

Elle se figea, les sens si aiguisés qu'elle entendait le doux appel d'un oiseau au cœur de la forêt, l'infime gazouillis d'un insecte tout près et le doux chuchotement du minuscule ruisseau à ses pieds. Le parfum de l'herbe écrasée et des pins parvenait à ses narines, et par-dessus tout, les émanations de la senteur virile et musquée de Marco l'enivraient.

Pendant de longues minutes, il resta immobile et silencieux. Toujours sans bouger, il parla d'une voix si basse qu'elle parvint à peine aux oreilles de Jacoba.

— J'avais cru voir quelque chose bouger derrière ces arbres.

Il s'éloigna, et elle prit une inspiration profonde qui résonna comme un sanglot.

— Qu'est-ce que tu crois que cela pouvait être ? demanda-t-elle.

Il haussa les épaules.

— Un oiseau, probablement, dit-il, mais je n'en suis pas sûr. Viens, reste près de moi.

Il regarda autour de lui et prit sa main.

Le calme inquiétant de la clairière semblait animé d'une vie mystérieuse, comme si des yeux les observaient.

— C'était sûrement un oiseau, mais promets-moi que tu ne sortiras pas du château seule, lui dit-il tandis qu'ils rejoignaient leurs chevaux.

— Je te le promets, dit-elle en frissonnant.

Il lui jeta un regard pénétrant, et à sa grande surprise, il la prit dans ses bras et la serra contre lui.

Ainsi appuyée contre sa force et sa chaleur, Jacoba se sentait instinctivement en sécurité. Et quand il l'éloigna de lui pour la hisser sur la selle de sa monture, une sensation d'abandon s'abattit sur elle.

La semaine suivante, elle fut présentée aux gens de la vallée comme la fiancée de Marco. Bien qu'elle comprenne parfaitement les motifs d'une telle comédie, elle ne pouvait s'empêcher d'être profondément blessée par le rôle d'amant attentionné que jouait Marco.

Au grand étonnement de Jacoba, Hawke arriva au château le second jour, accompagné de la princesse Melissa qui irradiait de bonheur.

— Je vois que tout s'est arrangé, lui dit Jacoba après le dîner. Je suis heureuse pour toi.

— Oui, tout va bien à présent, dit-il. Et pour toi ?

— Comme tu le vois, dit-elle avec un sourire éclatant. Quand annoncez-vous vos fiançailles ?

— Dans un mois à peu près. Nous avons décidé que les vôtres étaient plus importantes.

Elle le regarda et vit que Hawke avait compris ce qu'il en était réellement de la situation. Elle lui sourit tristement. Comme si elle lui avait lancé un signal, Marco traversa la pièce élégante lambrissée de bois pour venir passer un bras autour de ses épaules.

Oui, c'était vraiment un excellent acteur, pensa-t-elle avec tristesse…

La famille se rassemblait petit à petit et la fiancée de Gabe ne tarda pas à arriver. Sara Milton, une femme sereine et raffinée, était une excellente décoratrice. Le jour suivant, ils s'envolèrent tous pour la capitale, où les attendait une réception dans le château où vivait Alex.

Jacoba fut immédiatement charmée par le couple royal, le prince et sa charmante épouse, Ianthe, une Néo-Zélandaise réputée pour ses études sur le comportement des dauphins dans les baies abritées de l'Adriatique. Elle fut également séduite par leurs trois enfants, deux petites princesses bavardes et un jeune prince héritier casse-cou.

Tout lui plaisait en Illyria, songeait-elle amèrement.

Ils séjournèrent dans la capitale jusqu'à ce que Marco et elle se rendent à l'aéroport pour s'envoler vers Londres, où devait avoir lieu le lancement du parfum. Jacoba regarda la ville dans la lumière du petit matin, ses maisons blanches et leurs toits rouges et éclatants sous le soleil.

— Tu as remporté un succès fou auprès de ma famille, tous ont été conquis, lui dit soudain Marco.

Son ton était si indifférent…

— Tu es sûr que Lexie sera en sécurité quand elle arrivera ? demanda-t-elle avec anxiété.

Sa sœur achevait son voyage dans le bush et, après la soirée à Londres, Marco raccompagnerait Jacoba au Repaire du Loup pour ensuite aller chercher Lexie.

— *Rien* n'est sûr, dit-il en scrutant son visage, mais maintenant que tout le monde sait qui était son père, elle sera plus en sécurité là-bas, avec nous, que n'importe où ailleurs. Mais…

Il s'interrompit un instant et Jacoba sentit confusément qu'elle n'allait pas apprécier ce qui allait suivre.

— Mais je soupçonne que des fiançailles ne suffiront pas.

Une sensation glacée descendit alors le long de sa colonne vertébrale.

— Je ne comprends pas…, commença-t-elle.

— Nous allons devoir nous marier.

Jacoba avait constaté combien les Illyriens étaient pauvres

117

et courageux. Elle avait vu leur bonne humeur et leur volonté farouche d'effacer toute trace du règne du dictateur. Elle les admirait profondément et elle comprenait pourquoi Marco et sa famille étaient si déterminés à les aider.

Mais supporter la tendresse artificielle de Marco, ses sourires fabriqués de toutes pièces, voilà qui avait été un enfer. L'amour qu'elle sentait brûler en elle lui semblait vain désormais.

Se marier avec lui serait une frustration perpétuelle, un espoir qui ne serait jamais assouvi. Et elle ne pourrait le supporter, songea-t-elle avec désespoir.

— Est-ce aussi la décision du prince Alex et du Conseil ? demanda-t-elle d'une voix faible.

Elle gardait le visage tourné vers la vitre, aussi Marco pouvait-il étudier son profil. Très élégante dans un chemisier de soie gris perle, elle avait rassemblé ses superbes cheveux en un chignon souple sur la nuque. Coiffée ainsi, ses traits finement sculptés étaient encore plus beaux.

Son estomac se noua comme s'il avait reçu un coup de poing et, aussitôt après, le désir déferla en lui avec une force incroyable qui le désarçonna un instant.

Comment diable avait-elle réussi à lui ôter tout intérêt pour les autres femmes ? se demanda-t-il. Avant d'avoir découvert qui elle était réellement, il avait en effet essayé de la chasser de son esprit, et il avait invité une femme qu'il appréciait depuis longtemps à un dîner intime. Ils avaient passé une soirée tout à fait charmante, parlant avec animation, riant beaucoup, et il avait pu se leurrer et croire qu'il la désirait.

Et pourtant, quand il l'avait raccompagnée chez elle, il l'avait laissée surprise et déçue sur le pas de sa porte.

Maintenant il ne désirait qu'une chose, emmener Jacoba au lit et y passer des heures, non, bon sang, des jours entiers avec elle.

Et elle aussi le désirait, il en était certain, mais elle n'était pas plus heureuse que lui à la pensée de ce mariage. Ses lèvres

118

douces et pleines restaient serrées, et une ride légère était apparue entre ses sourcils.

Marco se raidit.

— Non, dit-il, c'est ma propre interprétation de la situation. J'étais trop prompt à croire que des fiançailles suffiraient à donner le change. Quand nous avons voyagé à travers le pays, j'ai senti que la seule façon de convaincre les gens de notre sincérité était de nous marier.

— Et de *rester* mariés ? demanda-t-elle, le visage blême.

— Oui, dit-il en lui prenant la main. Serait-ce si difficile ?

A ce moment, la voiture ralentit pour éviter un vieil homme voûté qui conduisait un âne. Il leva les yeux et reconnut la voiture. Un sourire fendit aussitôt son visage ridé et il leur adressa un geste de la main. Jacoba eut envie de crier. Pourquoi se trouvait-il là, comme pour la pousser à accepter, alors qu'elle était convaincue qu'elle aurait dû repousser cette perspective de toutes ses forces…

— Tu es lié par le devoir, n'est-ce pas ? dit-elle amèrement, tandis que la voiture reprenait de la vitesse.

— Oui, et comme moi, tu te dois à ces gens.

Elle lui lança un regard furieux.

— Je sais, dit-elle, sentant des larmes brûlantes emplir ses yeux. Alors, très bien, je t'épouserai, pour leur salut, et pour celui de Lexie.

La main de Marco se resserra un bref instant sur la sienne avant de la relâcher.

— J'essaierai d'être un bon mari pour toi. En tout cas, je ne te serai pas infidèle.

— Moi non plus, dit-elle avec tout le calme dont elle était capable.

Après tout, elle ne serait pas la première femme à épouser un Considine pour des raisons d'Etat.

*
* *

Au lieu de l'appartement moderne avec terrasse qu'elle s'attendait à trouver, Jacoba découvrit avec surprise que Marco avait choisi de vivre dans une superbe demeure géorgienne.

— Tes vêtements ont déjà été transportés ici, dit-il en la conduisant à sa chambre. Je crois que cela te prendra une bonne partie de la journée pour te préparer pour le bal. Moi, je resterai au bureau.

La soirée serait une occasion spectaculaire d'aider une institution caritative renommée. Celle-ci procurait un soutien psychologique à des femmes qui souffraient de maladies incurables. Des invitations avaient été envoyées à toutes les célébrités.

Et tout le monde y avait répondu. On parlait déjà de cette soirée comme de l'événement de l'année.

En fait, elle eut besoin de peu de temps pour se préparer et elle attendit ensuite le retour de Marco avec appréhension. Elle portait la robe de bal écarlate utilisée lors du tournage et avait relevé ses cheveux en un chignon sophistiqué sur le haut de sa tête.

Maintenant, une anxiété diffuse la rongeait, ainsi qu'une sensation de vide désagréable.

Comment se débarrasser de son désir pour cet homme ? songeat-elle avec désespoir. Dès qu'ils étaient ensemble, une chaleur jaillissait en elle et, dès que ses yeux croisaient ceux de Marco, elle se sentait aussitôt dévorée par une faim insatiable.

Mais il y avait plus que ce désir, elle était bien forcée de l'admettre. En effet, elle trouvait sa présence vraiment stimulante et appréciait beaucoup leurs échanges. Elle avait constaté qu'elle aimait même la façon dont son ton s'adoucissait quand il parlait de sa sœur Melissa…

Soudain, elle entendit sa voix. Elle respira profondément et alla ouvrir la porte. Marco se tenait devant elle avec un homme qui portait un coffret.

Il soutint son regard pendant un instant avec une intensité formidable.

— Cette robe est vraiment faite pour toi, dit-il tranquillement.

— Merci, dit Jacoba, le cœur battant.

Marco prit le coffret des mains de l'homme et le remercia. Puis il l'ouvrit et tendit le collier qu'il contenait à Jacoba.

— Veux-tu que je t'aide ?

— Non, je vais le glisser par-dessus ma tête.

Elle saisit le bijou et se dirigea vers le miroir. Marco lui apporta les boucles d'oreilles, la contemplant en silence tandis qu'elle mettait le collier en place. Puis elle passa les boucles.

— Et pour terminer…, dit-il d'une voix calme.

Il posa alors le diadème sur sa tête, les traits concentrés.

Leurs yeux se rencontrèrent dans le miroir. Jacoba sentit son souffle se bloquer dans sa gorge, et, pendant quelques secondes interminables, elle n'entendit que son pouls à travers ses veines, ne perçut rien d'autre qua la joie douce-amère de savourer sa présence tout près d'elle.

Jacoba dut rassembler toute sa volonté pour détourner son regard. Sans trembler, elle prit ses gants et les enfila lentement.

Marco se força à respirer doucement, pour étouffer les émotions tumultueuses qui se précipitaient dans son esprit.

Elle était splendide, comme si elle sortait d'un conte de fées : dangereuse, provocante et d'une beauté irréelle. La soie cramoisie moulait sa taille fine et ses seins adorables, laissant nue la peau satinée de ses épaules d'ivoire.

Le désir le traversa comme une douleur insurmontable.

— Prête ? demanda-t-il d'une voix sourde.

— Oui, répondit-elle en lissant les gants sur ses doigts.

Il saisit la cape de soie posée sur le dos d'une chaise et la déposa sur ses épaules.

— Alors, allons-y.

Dans la limousine, il tourna la tête et contempla son profil élégant et ses douces lèvres pleines et provocantes.

— Je me sens plutôt heureux en ce moment, laissa-t-il tomber négligemment.

Puis il saisit sa main et la serra dans la sienne.

Le cœur de Jacoba bondit dans sa poitrine. Elle lui jeta un regard surpris avant de retourner rapidement le visage vers la route, tandis que ses pensées tournoyaient dans son esprit.

Qu'avait-il voulu dire ? Il avait l'air aussi arrogant et déterminé que jamais, et pourtant...

Elle risqua un autre regard de côté. Peut-être était-ce un effet des lumières qui jouaient sur son visage... Se trompait-elle ou y avait-il sur ses lèvres de la tendresse ? Un espoir insensé germa en elle tandis que, les mains enlacées, silencieux comme des amants scellant un pacte, ils roulaient à travers les rues de Londres.

Quand ils arrivèrent devant la salle de réception, ils furent accueillis par un barrage de flashes et un assaut de questions. Jacoba se força à une attitude professionnelle et ignora les plus indiscrètes. Elle écouta en souriant Marco répondre avec adresse à celles qui lui étaient destinées.

— Est-ce vrai que vos fiançailles sont un coup publicitaire pour lancer le nouveau parfum ? demanda soudain un journaliste à Jacoba.

— Que voulez-vous dire exactement ? s'enquit-elle en haussant les sourcils.

Marco intervint alors d'une voix douce mais ferme.

— Si vous ne savez pas faire la différence entre la publicité et la vraie vie, vous vous êtes trompé de métier.

Puis il prit la main de Jacoba et l'entraîna vers la vaste salle brillamment éclairée.

Une fois à l'intérieur, elle regarda autour d'elle. Eclairée par des bougies, chaque table ressemblait à une petite oasis dorée, sous un plafond décoré de lampes féeriques qui scintillaient comme des étoiles.

— J'ai remarqué que tu portais le parfum, dit soudain Marco tout contre son oreille.

Elle lui sourit. Elle avait en effet gardé précieusement le flacon offert sur le yacht.

La soirée se déroula sans incident, la nourriture était exquise, bien sûr, et le vin délicieux. Comment aurait-il pu en être autrement puisque Marco s'était chargé de l'organisation ?

Son discours fut bref et subtil. A la fin, il se tourna vers Jacoba et lui prit la main.

— A présent, mesdames et messieurs, laissez-moi vous révéler le nom de notre nouveau parfum. Il s'appelle *Princessa*, et j'ai l'immense plaisir de vous présenter celle qui l'a inspiré, Jacoba Sinclair…

Le mot « princesse » en illyrien ! Tandis que les applaudissements retentissaient dans la salle, Jacoba se leva et salua l'audience, un pâle sourire aux lèvres.

Un délégué de l'institution caritative prit ensuite la parole avec enthousiasme et passion, puis les lumières s'éteignirent et le film commença à dérouler ses images sur un écran immense.

C'était la première fois que Jacoba le voyait dans son intégralité. Elle se détendit seulement quand il fut évident que les scènes du restaurant avaient toutes été remplacées par les reprises tournées à Auckland. Ainsi, personne ne verrait son visage ébloui quand elle dansait dans les bras de Marco, songea-t-elle avec soulagement.

Quand la projection fut terminée, l'orchestre attaqua une valse.

— Notre danse, dit Marco, en se levant.

Ignorant les flashes, Jacoba le suivit sur la piste de danse.

Tandis qu'elle virevoltait dans ses bras elle se surprit à lui demander :

123

— Ne penses-tu jamais que les sommes dépensées pour toute cette campagne pourraient être mieux utilisées ?

— Naturellement, répondit aussitôt Marco. Tout ceci n'a qu'un seul but : gagner suffisamment d'argent pour donner au peuple d'Illyria une chance d'entrer dans le monde moderne. Mais bien sûr, il y a aussi le plaisir que donnera le parfum à des millions de femmes… et à leurs hommes.

Jacoba frissonna.

— Qu'as-tu l'intention de faire de ta vie une fois que tu auras abandonné ce métier ? reprit-il d'un ton sérieux.

— J'avais l'intention de rentrer en Nouvelle-Zélande pour écrire, dit-elle avec le plus grand calme.

— Ecrire ?

— Oui, pour les enfants. Et pour les adultes aussi, si j'en suis capable. J'ai déjà fait paraître deux livres pour les enfants.

Elle vit avec plaisir qu'elle l'avait surpris et elle se concentra sur les autres danseurs. Autour d'eux, les robes ravissantes des femmes, rehaussées par le noir et blanc des habits de soirée de leurs partenaires, évoluaient en un tourbillon multicolore.

— Tu as de multiples talents, dit-il d'une voix neutre. Pourquoi n'en ai-je pas entendu parler ?

— Probablement parce que tu n'es pas un enfant, mais aussi parce que je publie sous un pseudonyme. Et non, ajouta-t-elle avant qu'il lui pose la question, je n'ai pas honte de ce que j'écris. Je voulais que mes livres soient reconnus pour leurs vraies qualités, pas à cause de ma notoriété.

— C'est une très bonne raison. Ont-ils eu du succès ?

— Ils se vendent bien, dit-elle posément, et ont obtenu de très bonnes critiques.

Chaque fois qu'elle était en sa compagnie, elle devait résister au besoin de se confier à lui, même si elle savait le peu d'intérêt qu'il éprouvait pour la vraie personne qui se cachait derrière la femme glamour. Oh, il la désirait, et il appréciait sa compagnie.

Mais en Illyria, elle avait compris que son dévouement était d'abord réservé à son pays.

Alors qu'elle, elle était fascinée et intriguée par lui, totalement. Bien sûr, le désir était toujours présent en elle, vibrant et impitoyable, mais chaque jour, elle sentait son amour pour lui devenir plus fort. Et elle savait que cet amour ne serait jamais réciproque.

De plus, son mariage signifierait qu'elle devrait renoncer à toute la vie qu'elle avait envisagée…

Pas un instant, Marco ne relâcha son étreinte. Et ils restèrent silencieux jusqu'à ce que la musique s'arrête et qu'il la reconduise à leur table, s'arrêtant au passage pour recueillir quelques félicitations.

Une fatigue immense s'empara bientôt de Jacoba. Elle raidit ses épaules et se força à se concentrer, à sourire encore et encore, à danser avec chaque homme de la table des VIP…

Un peu après minuit, la soirée s'acheva enfin. Une fois qu'ils eurent regagné la maison, Jacoba sentit le désir interdit renaître en elle, des petites flammes délicieuses parcourir sa peau…

Les bijoux furent remis dans leur coffret et confiés à l'agent qui en était responsable.

— La soirée a été merveilleuse, et je suis sûre que le parfum va très bien se vendre. Le nom est une très bonne idée, dit-elle.

— Merci, dit Marco d'un ton absent et las.

Non, songea-t-elle en proie à un trouble vertigineux, il n'était pas fatigué : son attention était entièrement concentrée sur sa bouche…

Une vague d'excitation naquit dans l'endroit le plus secret de son être et se propagea dans son ventre, comme une coulée de miel doux et chaud. Les lèvres de Jacoba s'adoucissaient déjà, prête à accueillir ses baisers tandis que son corps hurlait son désir avec une telle force qu'elle se sentit basculer vers Marco.

11.

— Marco, ce n'est pas une bonne idée, s'entendit-elle dire
d'une voix faible.

— Je sais, mais je suis absolument incapable de penser à
autre chose.

Sa voix était hachée et rauque, chaque mot avouant un désir
si intense qu'elle frissonna violemment.

Quand elle fit l'erreur de le regarder, elle cria presque devant
la passion qui durcissait ses traits, semblables à ceux d'un masque
antique. Quelque chose se brisa alors en elle, faisant voler en
éclats ses dernières réticences.

Pourtant, il ne la touchait pas. Ses yeux, brûlants et intenses,
ne quittaient pas ceux de Jacoba.

— Tu me rends fou… Je t'ai observée quand tu dansais, et
chaque fois qu'un homme posait les yeux sur toi, j'avais envie
de le frapper.

Il l'attira contre lui et la serra dans ses bras.

Après quelques instants où ils restèrent absolument immobiles,
il s'écarta un peu et pencha la tête. Il embrassa d'abord le creux
sensible au bas de son cou, puis mordit doucement sa chair avant
de laisser ses lèvres se promener sur son cou. Elle tressaillit
longuement sous cette caresse érotique.

Immédiatement, il se figea.

— Est-ce que je t'ai fait mal ? demanda-t-il.

126

— Non, embrasse-moi encore, murmura-t-elle.

Quand sa bouche reprit la sienne avec passion, Jacoba dut faire un effort pour s'empêcher de dénouer sa cravate et de déboutonner sa chemise. Elle réalisa subitement qu'elle avait attendu ce moment toute la soirée…

Son soupir de ravissement se transforma en halètement quand il fit glisser la fermeture de sa robe, libérant le bustier baleiné et sans bretelles qui retomba sur sa taille dans un bruissement de soie.

Jacoba vit son regard s'assombrir quand il baissa les yeux sur ses seins hauts et fiers, leurs boutons roses offerts à ses caresses.

Il ferma les yeux, comme s'il se livrait à un terrible combat intérieur.

— Viens avec moi, dit-il d'une voix méconnaissable.

— Oui, dit-elle dans un souffle.

« N'importe où », songea-t-elle.

Une fois dans sa chambre, il s'arrêta un instant pour la regarder avec des yeux qui étincelaient comme du cristal chauffé par une flamme bleue.

Puis il l'embrassa, tout en dégageant la robe de ses hanches. Celle-ci tomba à ses pieds dans un froissement écarlate, la laissant exposée dans sa dernière parure de satin et ses bas aussi fins qu'un murmure.

— Tu es une brassée odorante et soyeuse, murmura-t-il, ses mots passant sur ses lèvres comme un baiser.

Jacoba se sentit rougir tandis qu'il l'aidait à enjamber sa robe.

— Qu'y a-t-il donc de si érotique dans ce porte-jarretelles ? dit-il d'une voix sourde.

Son regard erra sur son corps et s'arrêta finalement sur les escarpins dorés à talons hauts.

— Dis-le-moi, dit-elle doucement.

Il sourit.

— Dieu seul le sait, dit-il. Peut-être simplement parce qu'il t'appartient, comme ces cheveux couleur de feu, cette peau d'ivoire, et ces yeux de la couleur d'une trace de fumée dans un ciel bleu…

Tout en parlant, il l'attira contre lui. Mais quand elle résista, il s'arrêta aussitôt.

— Qu'y a-t-il ? demanda-t-il d'une voix rauque.

— Tu es toujours habillé…

Avec un rire sensuel, il la laissa ôter sa veste et sa chemise. La cravate tomba bientôt sur le sol, et elle contempla ses muscles qui ondulaient avec grâce sous sa peau satinée. Ensuite, il baissa son pantalon et son caleçon d'un seul geste. Puis il se redressa enfin, semblable à un bronze magnifique des temps anciens, grand, puissant et terriblement excité.

Quand elle s'avança vers lui sur ses hauts talons, Marco pensa qu'il n'avait jamais rien vu de plus époustouflant. Elle s'arrêta à un pas de lui et attendit, son regard passionné embrumé par un désir inexorable, sans plus aucune pudeur ni retenue.

Il serra involontairement les poings quand elle tendit soudain la main vers lui et la posa sur son cœur.

— Quand tu me touches, je perds la tête, murmura-t-il, regardant les longs doigts fins sur sa peau. J'ai envie de te prendre, de me perdre en toi. Tout mon corps te veut, il désire quelque chose que toi seule peux lui donner.

Elle lui adressa un lent sourire enchanteur. Marco y vit la puissance des déesses qui avaient un jour vécu dans l'ancien monde méditerranéen, ces femmes qui avaient jeté des charmes et provoqué des guerres, Hélène de Troie, Calypso, Vénus…

— Oui, dit-elle simplement en venant dans ses bras.

Jacoba envoya valser ses escarpins quand Marco la souleva de nouveau pour la porter sur le lit. Après l'y avoir déposée, il pencha la tête sur ses seins et sa bouche se referma avec avidité sur une pointe dure.

128

Une sensation de plaisir pure et aiguë la transperça. Et quand il reporta son attention gourmande sur l'autre sein, elle s'arqua contre lui en gémissant.

C'est le paradis, songea-t-elle tandis que le plaisir ruisselait dans ses veines et que ses ongles s'enfonçaient dans le dos de Marco.

Tout à coup, un souffle de rébellion l'enflamma. Cette fois, il allait voir ce que c'était que de perdre totalement le contrôle…

Elle laissa ses mains errer sur sa peau. Elles suivirent chaque ligne de son corps lisse, jusqu'à ce qu'elle entende la respiration de Marco s'altérer et devenir aussi hachée que la sienne.

Soudain, il laissa échapper une plainte. Mais, quand elle regarda son visage, elle vit qu'il bridait sa passion, utilisant toute la force de sa volonté pour retenir la marée sauvage qui menaçait de le submerger.

— Maintenant, je comprends pourquoi le loup est l'emblème de votre maison, chuchota-t-elle.

Tout en souriant, elle prit son sexe dressé dans sa main. Sa peau était brûlante et douce sous ses doigts. D'abord, elle le caressa si légèrement qu'il pouvait à peine le sentir.

Il se figea et inspira profondément.

— Jacoba, non…

— Ne bouge pas, dit-elle dans un murmure provocant, laisse-moi prendre l'initiative, cette fois.

— Si tu es prête à en assumer les conséquences…, dit-il dans un souffle.

— J'en serai ravie.

Elle se pencha et l'embrassa, tout en continuant à le caresser, suivant l'instinct qui guidait le mouvement de ses doigts.

Quand elle se redressa, elle vit le corps tendu de Marco. Il avait même noué ses mains dans les draps dans un effort terrible pour ne pas s'abandonner.

Sans le quitter des yeux, elle glissa sa culotte sur ses jambes et s'étendit sur lui. Dans un long gémissement, elle lui rendit alors le pouvoir qu'il lui avait donné.

Un gémissement sourd sortit de la gorge de Marco et il la pénétra aussitôt en une série de poussées puissantes et rapides. Le désir refréné de Jacoba se déchaîna alors et elle eut l'impression que la jouissance explosait en elle et que tout son être se dissolvait dans le plaisir.

A ce moment, Marco la rejoignit, les bras agrippés autour de ses reins et tremblant violemment. Etroitement enlacés, ils traversèrent l'orage qui les noyait dans des éclairs éblouissants.

— Je ne savais pas que les humains pouvaient voler, dit-elle de longues minutes plus tard.

— Moi non plus, dit-il. Maintenant, dors, ma chérie.

Jacoba eut à peine le temps de voir qu'il lui souriait avant de sombrer dans le sommeil.

Quand elle se réveilla au petit matin, Marco était toujours à côté d'elle, la chaleur de son corps se diffusant à travers les quelques centimètres qui les séparaient.

Jacoba aurait voulu le toucher, mais, bien qu'ils soient fiancés et qu'elle ait accepté de l'épouser, elle n'osait pas.

De tous les hommes du monde, songea-t-elle sombrement, il avait fallu qu'elle tombe amoureuse du prince Marco Considine… Bien sûr, elle adorait faire l'amour avec lui, mais comment allait-elle faire pour se contenter de leurs étreintes charnelles ?

Elle resta ainsi durant de longues minutes, écoutant les bruits de la ville, ce bourdonnement sourd qui ne cessait jamais. Etendue à côté de l'homme qu'elle aimait, sa carrière à son apogée et son avenir financier assuré, elle ne s'était jamais sentie aussi seule, aussi perdue et craintive.

Sa bouche se contracta en une grimace douloureuse. De quoi se plaignait-elle donc… Un jour ils auraient des enfants. Elle avait du respect pour lui et elle avait l'impression qu'il était en train d'apprendre à la respecter. Ils finiraient par construire un foyer solide, et elle cesserait de désirer l'impossible…

Des larmes emplirent ses yeux.

— Qu'y a-t-il ? demanda-t-il, la faisant sursauter.

— Rien.

Comme elle ne voulait pas qu'il voie ses yeux humides, elle se tourna vers lui et enfouit son visage contre son torse. « Rien », répéta-t-elle en son for intérieur, parce que rien ne pourrait jamais la blesser quand elle était dans ses bras.

Ceux-ci se refermèrent autour d'elle et il commença à l'embrasser avec une faim qui égalait la sienne.

Cette fois, ils s'aimèrent avec une tendresse et une douceur infinies.

Ils dormirent de nouveau et se réveillèrent quand le soleil d'automne passait paresseusement ses rayons par la fenêtre.

Jacoba s'assit avant de se lever. Elle se sentit rougir et enroula le drap autour d'elle.

— Il faut que je prenne une douche.

Apparemment, Marco était beaucoup plus habitué qu'elle à se réveiller dans un lit étranger. Absolument détendu, il l'examinait à travers ses cils baissés, et elle était sûre d'y lire de l'amusement.

— C'est juste derrière la porte, dit-il en faisant un geste de la tête vers l'autre côté de la pièce. Ton peignoir est dans la penderie. Je vais aller me préparer de mon côté et je viendrai te chercher pour le petit déjeuner. Nous devons prendre l'avion à 10 heures.

De retour dans sa chambre, Marco se surprit à sourire de la timidité de Jacoba. Avait-elle été vierge la première fois qu'ils avaient fait l'amour ? Il n'en avait pas eu l'impression, et de toute façon cela n'avait aucune importance.

Jacoba était vraiment différente de toutes les autres femmes qu'il avait connues, songea-t-il. S'ils s'étaient rencontrés sans ce lourd héritage du passé... Brutalement, il chassa cette pensée de son esprit. Le destin en avait décidé autrement et ils devaient jouer leur rôle jusqu'au bout, un point c'est tout.

Douché et habillé, il se dit que le fait d'être séparés quelques jours l'aiderait à clarifier ses pensées. Il avait bien fait de décider d'aller chercher Lexie. Quelque chose avait changé dans sa relation avec Jacoba, et il ne comprenait pas ce que c'était.

De l'amour ? Il grimaça. Il avait toujours fait attention à aimer sans excès. Le mariage de ses parents n'avait pas été heureux, aussi, jusqu'à présent, avait-il toujours évité de trop s'engager dans ses liaisons amoureuses.

Mais bon sang, rien dans sa relation avec Jacoba n'était raisonnable. Elle l'étonnait et l'irritait à cause de cette perte totale de contrôle qu'il subissait chaque fois qu'il la regardait ou la touchait.

— Je crois que je devrais t'accompagner, Lexie est ma sœur, dit Jacoba en fronçant les sourcils.

— C'est justement pour cela que tu ne peux pas venir, répliqua Marco avec impatience. Tu es célèbre, et moins il y aura de bruit autour de tout ça, mieux ce sera.

Il lui sourit. Forcée d'accepter, Jacoba se mordit la lèvre.

— Ne t'inquiète pas, continua-t-il, nous voyagerons dans un jet privé, et avec un peu de chance nous serons de retour avant que personne ne réalise que je suis parti. J'ai engagé un garde du corps pour t'accompagner quand tu sortiras du château, mais je préférerais que tu restes à l'intérieur.

132

Elle lui décocha un regard étincelant de colère mais approuva de la tête.

— J'espère que nous n'allons pas passer le reste de notre vie enfermés ici.

— Tu sais bien que non, dit-il.

Il tendit alors la main. Elle la prit avec réticence et se laissa attirer dans ses bras. Il ne tenta pas de l'embrasser mais se contenta de poser sa joue sur sa tête.

— Pense à moi, dit-il d'une voix profonde qui la fit frissonner.

Elle ne put s'empêcher de lui sourire. Mais lui, penserait-il à elle ? se demanda-t-elle tristement.

— Fais attention à toi, lui dit-elle simplement.

Alors enfin, il l'embrassa, avant de se détacher d'elle avec un regret si évident que cela aida Jacoba à tenir les jours suivants au Repaire du Loup.

La gouvernante, Marya, comprit son désarroi et la prit sous son aile, lui apportant de la lecture ou lui faisant faire la visite des différentes pièces du château. La plupart portaient encore la trace de la présence du dictateur.

— Elles seront bientôt redécorées. La maîtresse des lieux, Sara, a des projets formidables, dit la vieille femme avec enthousiasme.

Heureusement, songea Jacoba en frémissant malgré elle.

— Le prince Marco et votre sœur n'arriveront pas avant deux heures, pourquoi n'iriez-vous pas nager en attendant ? Cela vous aiderait à passer le temps.

— C'est une bonne idée, dit Jacoba avec entrain.

La piscine occupait la cour du château où, autrefois, les joutes avaient lieu. Marya lui avait expliqué qu'une petite tour solitaire et un ancien colombier surplombaient l'endroit.

— Le prince Gabriel a l'intention de la transformer en maison d'été, lui avait-elle dit, mais elle est vide pour l'instant. C'est là que nous rangeons les chaises longues et les transats, l'hiver.

Jacoba nagea jusqu'à l'épuisement, puis se sécha et regarda le château. Marco lui avait dit qu'il n'avait jamais été pris par ses assaillants, et elle comprenait pourquoi. Ses hauts murs de pierre dominaient la vallée. Lexie y serait en sécurité, mais elle ne pourrait pas rester ici jusqu'à la fin de sa vie…

Elle frissonna. C'était stupide d'avoir l'impression que quelqu'un l'observait. De toute façon, une femme de chambre pouvait se trouver en ce moment à l'une des étroites fenêtres, ou même Marya. Mal à l'aise, elle ramassa sa serviette et se dirigea vers l'ancien colombier.

Une petite pelouse s'étalait au pied de la tour, agrémentée de parterres de fleurs.

Au moment où elle se penchait pour respirer le parfum d'une rose, quelqu'un appuya brutalement un objet dur contre ses reins.

— Si vous criez, je vous tue, dit une voix masculine en illyrien. Avancez vers la porte de la tour, vite.

Comme elle ne bougeait pas, une seconde poussée la força à se mouvoir. Il lui fallut quelques instants pour pouvoir parler.

— Qui êtes-vous ? Que voulez-vous de moi ? demanda-t-elle d'une voix tremblante.

— Rentrez à l'intérieur, marmonna-t-il, enfonçant le canon du pistolet dans son dos.

Après avoir rassemblé tout son courage, Jacoba s'arrêta.

— Je ne vais pas entrer là-dedans, dit-elle. Il fait noir.

— Vous avez peur du noir, vous, la sorcière aux cheveux rouges ? dit l'homme en ricanant et en la poussant sans ménagement.

L'esprit de Jacoba fonctionnait à toute vitesse. Une fois à l'intérieur, elle aurait peu de chance de s'en sortir. Si elle criait… Mais non, même le cri le plus perçant serait étouffé par les pierres épaisses, songea-t-elle.

134

— Je veux savoir où vous me conduisez.

— En enfer, dit-il aussitôt. Rejoindre votre traîtresse de mère et l'homme qui a tué votre père et le mien.

— Pourquoi ne pas le faire ici au grand jour ?

Elle n'allait pas marcher gentiment vers sa propre mort…

Soudain, Jacoba se retourna brusquement, tendit les bras et frappa l'homme de ses poings serrés. Le pistolet tomba sur le sol et elle s'en empara, mais il lui allongea aussitôt un coup de poing juste en dessous du cœur. Haletant, elle tomba à genoux, se rendant à peine compte qu'il saisissait de nouveau le pistolet. Sa poitrine se contracta tandis qu'elle luttait pour respirer, incapable de réfléchir.

— Avance, traînée ! ordonna-t-il. Avance.

Mais elle était incapable de lui obéir. Pliée en deux, elle pouvait à peine l'entendre à travers le grondement qui emplissait ses oreilles et le sifflement de sa respiration difficile. Confusément, elle se rendit compte qu'il lui attachait les mains derrière le dos, puis liait ses chevilles ensemble, avec une efficacité brutale. Puis il la souleva et la jeta sur son épaule. Elle essaya de lui donner un coup de genou entre les jambes, mais elle ne put rassembler assez de force.

Il était fort, comprit-elle lorsqu'il commença à descendre sans effort l'escalier faiblement éclairé qui descendait dans l'obscurité.

Jacoba se força à rester immobile, pour reprendre son souffle et ses esprits. A la seconde où il l'avait frappée, elle avait vu son visage : il ne ressemblait pas à un meurtrier.

Un peu plus grand qu'elle, il était sombre et beau malgré son air hagard, et son visage tanné par le grand air avait une cicatrice qui courait de sa tempe gauche à son menton. Il n'avait guère plus de dix ans de plus qu'elle, songea Jacoba. Mais il allait néanmoins la tuer et, une fois qu'il l'aurait fait, il attendrait l'arrivée de Lexie et…

Elle étouffa un sanglot terrifié. Non, Marco s'assurerait que sa sœur soit gardée en sécurité.

Une fois, elle avait lu quelque part que le meilleur moyen de se défendre était de faire comprendre au ravisseur que vous étiez un être humain.

Quand sa nausée s'atténua, et que son souffle et son cœur furent calmés, elle s'adressa à lui d'une voix égale.

— Est-ce que vous m'avez frappée dans le plexus solaire ?

Il grommela quelque chose.

— Cela ne m'était jamais arrivé auparavant, continua-t-elle. J'ai cru que j'allais vomir.

— Il n'y aura pas de séquelles.

Jacoba dut réprimer un rire nerveux. Bien sûr qu'il n'y en aurait pas, puisque, dans quelques minutes, elle serait morte.

— Etes-vous médecin ? demanda-t-elle.

Il se raidit, puis la déposa sur un sol de pierre froide. Le mouvement soudain la surprit tellement qu'elle cria.

De sa torche, l'homme balaya les murs et le sol.

— Non, gronda-t-il. Ceci est une cellule du donjon, expliqua-t-il sommairement, c'est ici que votre père a terminé sa vie. Peut-être son fantôme viendra-t-il vous rendre visite pendant que vous attendrez la mort.

— Qu'est-ce que vous entendez par « attendre » ? demanda-t-elle en proie à une peur affreuse. Je croyais que vous alliez m'abattre…

— J'ai déjà perdu trop de temps ici, dit-il.

Après s'être détourné, il s'éloigna, puis il ferma la porte derrière lui et la laissa ainsi dans l'obscurité la plus totale.

Désespérée, Jacoba cria, mais elle entendit les pas de son agresseur décroître sur les marches de pierre.

D'abord, elle crut qu'elle allait devenir folle, mais elle décida qu'il ne fallait absolument pas qu'elle cède à la panique. « Je dois repasser mes bras devant moi. Il n'a pas verrouillé la porte, aussi, si j'y arrive, je pourrai peut-être parvenir à détacher mes chevilles, et ensuite sortir d'ici. »

Se félicitant de ne pas avoir abandonné les cours de gym, et remerciant le fait d'être naturellement souple, elle réussit à passer ses jambes dans ses bras, même si les cordes blessaient douloureusement sa chair. Pliant les doigts, elle commença à s'attaquer aux nœuds qui enserraient ses chevilles. Si seulement elle avait un briquet…

« Tu n'en as pas, alors continue », se dit-elle avec fermeté.

Mais bien qu'il l'ait ligotée rapidement, ses liens tenaient bien. Finalement, après un temps qui lui parut interminable, elle pencha la tête sur ses genoux et versa des larmes de pure frustration jusqu'à ce qu'elle ne puisse plus pleurer.

Un bruit léger lui fit redresser la tête. Des rats, songea-t-elle avec un frisson d'horreur. Ou des chauves-souris ? Ecarquillant les yeux, elle scruta l'obscurité et se mordit la lèvre pour s'empêcher ce crier.

Finalement, comme aucun autre bruit ne se faisait entendre, elle se détendit et s'attaqua de nouveau aux nœuds. Il fallait absolument qu'elle sorte de là.

Son père était-il réellement mort ici, ou ce type avait-il simplement voulu l'effrayer davantage ? Sa mère lui avait dit qu'il avait péri dans une embuscade… Paulo Considine avait-il menti à la femme qu'il avait épousée ?

Probablement, se dit-elle avec lassitude, tirant désespérément sur le premier nœud. Stupéfaite, elle se rendit compte qu'il semblait un peu plus lâche, et aussitôt, l'espoir lui redonna du courage. Elle ralentit alors ses mouvements, terrifiée à l'idée que si elle tirait trop fort, elle risquait de resserrer la corde. Doucement, délicatement, elle dégagea une extrémité.

Le nœud suivant fut plus difficile. Ses doigts étaient fatigués et elle commençait à avoir froid, mais elle se força à continuer jusqu'à ce que lui aussi se dénoue. Elle put enfin remuer ses pieds.

Cela lui prit de longues minutes pour se lever, car ses muscles étaient raides et ankylosés, et elle resta un moment à genoux avant d'oser se lever. Le sang circulait douloureusement dans son corps endolori. Elle laissa soudain échapper un petit sanglot et réalisa qu'elle mourait de faim et de soif.

Elle avança, les mains devant elle. Le mur était froid et rugueux, et elle gémit quand elle arriva trop brusquement dans un coin et se cogna la tête. Pourtant, il fallait qu'elle trouve cette maudite porte.

Mais quand sa main rencontra le bois lourd, elle eut beau explorer toute la surface qu'elle pouvait atteindre, elle ne put trouver de poignée. Désespérée, elle poussa autant qu'elle put, mais rien ne bougea.

Finalement, elle fut bien forcée d'accepter qu'il n'y avait pas d'issue.

Elle s'effondra sur le sol, s'accroupit et mit ses bras autour de ses genoux. Des larmes d'impuissance coulaient sur ses joues. Et sans savoir comment, en dépit de tout, elle s'endormit.

Tout à coup, une voix lui parvint dans son sommeil, une voix qu'elle avait bien cru ne plus jamais entendre…

Marco l'appelait.

— Jacoba, Jacoba, est-ce que tu m'entends ?

— Ici ! cria-t-elle d'une voix éraillée. Ici !

Quelques instants plus tard, elle éclata en sanglots quand Marco la souleva dans ses bras et la tint serrée contre son cœur.

— Ma bien-aimée, dit-il avec une ardeur sauvage. Mon adorée, est-ce que tu vas bien ?

Puis tout à coup, il se figea.

— Pas un mot. Et quoi qu'il arrive, ne bouge pas, murmura-t-il à son oreille.

12.

En silence, il la reposa sur ses pieds et se plaça devant elle.

Le nouvel arrivant s'arrêta à la porte de la cellule.

— Ce n'est pas à vous que j'en veux, Votre Altesse, c'est à la sorcière aux cheveux rouges, dit-il d'une voix dure.

— Il vous faudra d'abord me tuer, dit calmement Marco.

Son attitude étonna et effraya Jacoba tout à la fois. Elle ne pouvait s'arrêter de trembler et avait du mal à réfléchir.

— Je ne vous veux aucun mal, mais si je dois le faire, je le ferai. Car je dois exécuter cette femme. Sa mère a trahi le frère de mon père, et l'a fait mourir afin de pouvoir épouser Paulo Considine, continua l'homme.

— Ainsi, vous allez tuer votre cousine ?

— Oui, elle doit payer sa dette. Son père est mort dans cette cellule. Sa mère a épousé le monstre qui a tué vos grands-parents... Que son âme roule en enfer pour l'éternité.

— Mais *elle*, que vous a-t-elle fait ?

Silence. Jacoba retint son souffle.

— Vous devriez savoir que, pour nous, le sang se paie dans le sang. J'ai juré à mon père sur son lit de mort que je tuerais cette femme si elle était en vie, affirma-t-il sauvagement.

— Alors pourquoi ne l'avez-vous pas tuée tout de suite au lieu de l'amener ici ? demanda Marco.

Il avait l'air intrigué, pas accusateur. L'homme hésita.

— J'allais l'abattre, mais… je n'ai pas pu. J'ai trahi la confiance de mon père.

— Et pourquoi êtes-vous revenu ?

Cette fois l'homme attendit longtemps avant de répondre.

— Pour la tuer, dit-il avec colère. Je ne pouvais pas… je ne pouvais pas la laisser mourir dans le noir, seule. Je ne ferais pas cela à un chien, ni à un rat, alors j'ai décidé de lui offrir une mort rapide et propre.

— Je crois que vous n'aviez pas l'intention de la tuer, dit Marco d'un ton réfléchi et calme. Je sais qui vous êtes, et j'ai entendu dire que vous étiez un bon guérisseur. Les guérisseurs ne tuent pas. Vous alliez la laisser partir.

— J'ai promis à mon père ! cria l'homme, très agité. Il a tout perdu à cause de la mère de cette femme.

Jacoba se raidit et s'agrippa à la chemise de Marco. Comment faisait-il pour rester aussi calme quand cet homme était en train de perdre son sang-froid ? Les gens énervés faisaient des erreurs, tuaient parfois la mauvaise personne…

L'idée qu'il puisse mourir remplit Jacoba d'horreur. Plutôt mourir elle-même.

Sans réfléchir davantage, elle se dégagea et se rua de toutes ses forces en direction de l'agresseur. Mais Marco l'empoigna et la rejeta derrière lui de façon à la protéger de son propre corps.

Dans le silence soudain, la voix de Marya se fit entendre.

— Il a raison, Piero, et tu le sais. Tu es revenu pour la laisser partir.

— Et votre père se trompait, dit Marco. Sa mère n'a jamais trahi les partisans.

— Je ne vous crois pas ! cria Piero avec fureur. Très bien, j'allais la laisser partir, et ensuite je me serais tué moi-même.

Il fit un geste vers sa poche, mais Marco fut sur lui avant qu'il puisse sortir son pistolet. Ils luttèrent dans la quasi-obscurité.

140

Jacoba chercha vainement autour d'elle quelque chose avec lequel elle pourrait frapper Piero, mais il n'y avait rien.

Et cela n'était pas nécessaire. Piero était costaud, mais Marco était plus grand et plus fort. Après un bref combat, il put ravir l'arme à son adversaire.

— A quoi cela servira-t-il de vous supprimer ? demanda-t-il, le souffle court. On a besoin de vous ici. Vous êtes réputé pour votre habileté à soigner les animaux. Que feront les fermiers si vous mourez ?

L'homme ne dit rien.

— Ecoute-moi, Piero, dit Marya. Tu me connais bien. Je ne mens pas, et je t'affirme que la mère de cette femme n'a pas trahi son mari ou le mien, ni les grands-parents du prince. Je le sais, parce que j'ai tué la personne qui l'a fait.

— Qui était-ce ? demanda Piero d'une voix rauque.

Elle fit un geste rapide et résolu de la main.

— Cela n'a plus d'importance maintenant. C'est fini.

Abasourdie, Jacoba se redressa, mais la cellule étroite tournoya brusquement autour d'elle et elle entendit un gémissement sortir de ses lèvres. Juste avant de sombrer dans l'inconscience, elle sentit les bras de Marco l'entourer et sut qu'elle était en sécurité.

Elle se réveilla dans sa chambre et cligna fortement des yeux jusqu'à ce qu'elle comprenne où elle se trouvait. Ses poignets lui faisaient horriblement mal.

— Tout va bien, le médecin a dit que tu étais déshydratée, fatiguée et affamée, mais à part cela, tu es en parfaite santé.

La voix de Marco… Debout à côté du lit, il la regardait d'un air sévère.

— Ainsi je n'ai pas rêvé, murmura-t-elle. Je suis désolée de m'être évanouie.

— Si jamais tu recommences une chose pareille, je t'assure

que je veillerai à ce que tu t'en souviennes longtemps, dit-il d'une voix qu'elle ne lui avait encore jamais entendue.

Une joie immense l'envahit soudain.

— Tu aurais fait exactement la même chose pour moi. Il devenait vraiment nerveux et j'aurais préféré mourir plutôt que te voir mourir…

— Pourquoi ?

Leurs yeux s'arrimèrent.

— Parce que je t'aime, dit-elle calmement.

Il tomba à genoux près d'elle et prit son visage entre ses mains.

— Quand Lexie et moi sommes revenus pour découvrir que tu avais été enlevée, je… Jacoba, j'ai cru devenir fou, dit-il avec des yeux hagards. J'ai cru que tu étais morte. Je t'avais promis que tu serais en sécurité au château et…

— Tout va bien, le rassura-t-elle, ne t'en fais pas.

— J'ai essayé de ne pas tomber amoureux de toi, continua-t-il, mais quand je suis allé chercher Lexie, j'ai compris que c'était impossible. Tu me manquais tant… Comme si j'avais laissé la moitié de moi-même ici. Quand je suis revenu et que j'ai appris que tu avais été enlevée, que tu étais peut-être même morte, j'ai enfin compris que, sans le savoir, je t'aimais comme un fou.

Jacoba ferma les yeux, parce que tout tournait de nouveau autour d'elle. Un bonheur éclatant étincelait si fort en elle qu'elle ne put s'empêcher de sourire.

Il rit et embrassa ses lèvres, doucement, et ensuite avec fougue.

— Tu tiens mon cœur et mon avenir entre tes mains, ma chérie, chuchota-t-il dans un baiser. Sans toi, je ne suis rien.

Des larmes remplirent les yeux de Jacoba.

— Mais la prochaine fois que je te dis de ne pas bouger, ne fais pas un geste, dit-il.

Elle fit une petite grimace quand elle voulut lever les mains vers lui. Il les prit et les embrassa avant de se relever.

Jacoba l'attira pour qu'il s'assoie sur le bord du lit.

— Est-ce que nous pouvons oublier tout cela ? demanda-t-elle. J'en ai assez du passé.

Les doigts de Marco se serrèrent autour des siens.

— Ma chérie, seras-tu heureuse avec moi ? Nous pouvons vivre où tu voudras, et j'ai déjà commencé à m'organiser afin de pouvoir passer plus de temps avec toi.

— Je serai heureuse n'importe où, du moment que tu es avec moi, lui dit-elle simplement. Je t'aime tant… Moi aussi j'ai lutté contre cet amour, mais pas bien longtemps… Je crois que j'ai su très vite que cela ne servirait à rien.

Il éclata de rire et embrassa son poignet.

— Moi aussi ! Nous avons dansé dans cette fausse salle de bal, et avant que la nuit soit achevée, je n'étais plus maître de mon cœur. A propos, allons-nous nous marier en même temps que Melissa et Gabe dans une triple cérémonie ?

Sans attendre sa réponse, il rit doucement et referma ses bras autour d'elle.

Ils étaient toujours enlacés quand Marya frappa à la porte.

— Tout va bien ? demanda-t-elle.

— Oui, dirent-il ensemble.

— Votre cousin Piero veut vous voir, Jacoba. Il est désespéré et a besoin de savoir qu'on lui a pardonné, ou au moins que vous comprenez pourquoi il a agi ainsi.

Une peur soudaine envahit Jacoba. Mais elle savait qu'elle devait tendre la main à celui qui avait voulu la tuer.

— D'accord, dit-elle.

Marco la serra dans ses bras.

— Je serai là, ne t'en fais pas.

— C'est un homme bon, ajouta Marya, et s'il n'en avait pas été empêché par le dictateur, il serait devenu médecin.

Toute crainte s'évanouit quand Jacoba vit Piero. Sa détresse était tellement évidente...

— A part ma sœur, vous êtes mon seul parent, lui dit-elle doucement.

— Je jure sur tous les saints, dit-il en clignant des yeux, que je ne ferai rien contre elle. Je n'ai pas pu réaliser la promesse faite à mon père, même quand je vous avais à ma merci...

— Parce que vous saviez que vous aviez tort, dit Marco d'un ton résolu.

Jacoba s'interposa.

— Vous aurez quelque chose en commun avec ma sœur, elle aussi aime beaucoup les animaux.

— Je suis heureux d'avoir échoué, dit Piero en baissant la tête. Votre Altesse, si vous voulez me tuer...

Marco interrompit la protestation spontanée de Jacoba.

— Jacoba n'a rien, et je vous crois quand vous dites que vous regrettez votre geste. Même si vous l'aviez tuée, je ne me serais pas vengé. Je vous aurais fait traduire en justice. Ce qui sera plus efficace pour nous, et pour tous les Illyriens, c'est de vous dresser contre les vendettas chaque fois que vous en aurez l'occasion.

— Je le ferai, promit-il.

Il s'inclina devant Marco et se tourna pour partir.

Spontanément, Jacoba lui tendit la main. Piero cligna des yeux et s'arrêta quand il vit le bandage sur son poignet, mais lorsqu'elle accentua son geste, il s'approcha du lit. Elle se souleva et se pencha en avant pour l'embrasser sur la joue.

— Merci, cousin, dit-elle.

Piero se figea, puis, avec une grande douceur, passa son bras autour de ses épaules et embrassa son front. Il laissa alors échapper un lourd sanglot et sortit précipitamment de la pièce.

Marya sortit derrière lui pour l'accompagner.

— Es-tu rassurée à propos de Lexie, maintenant ? demanda Marco.

144

— Pas tout à fait, dit-elle.

Il traversa la pièce et se posta devant la fenêtre.

— Je crois que pour mettre un terme à ceci une fois pour toutes, dit-il sans se retourner, nous avons besoin d'un geste spectaculaire de réconciliation. Les Illyriens sont très religieux. Accepteriez-vous, Lexie et toi, de participer à une veille à la cathédrale où sont gardées les reliques de saint Yvan, le saint patron du pays ?

Comme elle ne répondait rien, il ajouta :

— Vous seriez protégées par des tireurs d'élite, bien sûr.

Jacoba avait cru que si Marco pouvait l'aimer, elle serait totalement heureuse. Mais elle découvrait que, pour lui, le sort de l'Illyria passerait toujours en premier, même si cela devait les exposer au danger, elle et Lexie.

Mais cela ne lui faisait plus mal. Marco n'aurait pas été l'homme qu'elle aimait s'il avait pu ignorer ses obligations. Peut-être était-il temps qu'elle prenne sa part d'héritage, elle aussi…

— Je le ferai, dit-elle calmement, mais sans militaires, sans armes. Si nous voulons vraiment que ce geste signifie quelque chose, nous devons faire confiance au peuple. Quant à ma sœur, pourquoi ne lui poses-tu pas la question ?

Lexie resta silencieuse un long moment quand Marco lui exposa son projet dans le bureau de Gabe. Le prince Alex avait été consulté et il en avait discuté avec ses conseillers, qui avaient tous trouvé l'idée excellente.

— Vous n'êtes pas forcée d'accepter, Lexie, dit Gabe.

— Paulo Considine était mon père, dit-elle en redressant ses épaules, et si ce geste est nécessaire pour rétablir la confiance dans le pays qu'il a saccagé, je le ferai. Mais pas toi, Jacoba.

— Ne sois pas stupide, dit sévèrement sa sœur.

Lexie resta néanmoins sur ses positions durant quelques

145

jours, tandis que le prince Alex et ses conseillers préparaient l'événement.

Finalement, Lexie accepta que sa sœur l'accompagne.

— Je préférerais que tu ne sois pas avec moi, dit-elle sur le trajet qui les menait à la cathédrale.

— Tu as peur ? demanda Jacoba.

Il y avait si peu de gens dans les rues que la ville semblait déserte.

— Oui, dit Lexie, mais c'est la seule chose à faire, j'en ai l'impression. J'espère seulement que ça va marcher.

Jacoba aussi. Le vaste édifice était sombre, la seule lumière venant des bougies posées sur l'autel.

L'archevêque les accueillit en silence et elles le suivirent dans l'allée centrale. Jacoba sentit un frisson glacé d'appréhension parcourir son dos. Elle ne pouvait s'empêcher de penser que leurs silhouettes se découpant dans la lumière formaient des cibles idéales. Et bien qu'il ait fallu l'intervention d'Alex, elles avaient réussi à empêcher Marco de faire venir des tireurs d'élite. Aussi étaient-elles seules.

Elles s'agenouillèrent toutes les deux. Jacoba entendit le doux froissement de la robe du prêtre quand il s'éloigna. Elle pria pour l'Illyria, pour son peuple et sa culture, pour les enfants qui grandiraient dans la liberté…

Presque immédiatement, des bruits légers la firent se redresser. Son cœur battit plus vite. Des gens entraient calmement dans la cathédrale. Elle sentit son dos se raidir et elle était prête à saisir la main de Lexie pour qu'elles se retournent ensemble. Qu'au moins, elles meurent en faisant face à leurs meurtriers… Subitement, elle comprit qu'il ne s'agissait pas que d'un petit groupe.

Ils étaient des centaines, peut-être des milliers, qui remplissaient maintenant la vaste cathédrale. Jacoba entendait leurs toux et leurs soupirs et le léger bruissement des vêtements tandis qu'ils s'agenouillaient. Le peuple d'Illyria était venu se joindre à elles pour la veillée.

Stupéfaite et heureuse, Jacoba comprit alors que tout allait bien se passer.

Mais ce ne fut qu'à leur sortie de la cathédrale qu'elle réalisa combien de gens les avaient soutenues. Tandis que Marco, le visage tendu, la portait à moitié hors de l'édifice, elle découvrit avec stupeur que la place était remplie de gens silencieux, vêtus de noir. D'autres étaient agenouillés dans les rues adjacentes.

Gabe passa un bras autour des épaules de Lexie.

— Ça a été la même chose dans tout le pays, dit-il. Les églises et les chapelles étaient pleines.

— La relation de Lexie avec le dictateur, qui semblait un problème insurmontable, s'est transformée en un élément supplémentaire pour rassembler le pays, ajouta Marco.

Il regarda le visage pâle de Jacoba et ses yeux cristallins s'enflammèrent.

— Et toi, ma chérie, tu vas au lit dès que nous arrivons au château.

— Daccord, dit-elle en réprimant un bâillement. Où étais-tu ? Je suis sûre que tu étais dans la cathédrale.

— Il était dans la galerie, avec son équipe de tireurs d'élite triés sur le volet, dit Gabe en se retenant de rire.

— Je croyais qu'on s'était mis d'accord ! protesta Lexie.

— J'avais dit à Jacoba que vous seriez en sécurité, l'interrompit Marco. Aussi était-il de ma responsabilité de faire le nécessaire pour que vous le soyez.

Lexie lui lança un regard réprobateur puis se tourna vers sa sœur.

— Nous aurions dû nous en douter, je suppose, dit-elle en lui faisant une grimace.

De retour au château qui surplombait la ville, ils prirent un souper léger avant d'aller se coucher. Jacoba venait juste de se glisser dans un vieux T-shirt quand quelqu'un frappa à sa porte.

Attrapant sa robe de chambre, elle alla ouvrir.

— Comment te sens-tu ? demanda Marco.

— Fatiguée, mais soulagée. Cela a vraiment signifié quelque chose, n'est-ce pas ?

— Oui, dit-il en l'embrassant. Et je t'ai vraiment admirée, ma belle héroïne, mon amour, ma chérie… je t'adore.

Elle s'accrocha à lui et lui rendit son baiser, soulagée et en proie au vertige.

— Je sais que c'est la tradition royale, dit-elle tout à coup, mais devons-nous vraiment attendre un an avant de nous marier ? Serait-ce tricher si nous organisions un tout petit mariage sur une plage de Nouvelle-Zélande, ma plage, avec seulement Melissa et Hawke, Lexie, Gabe et Sara comme témoins ? Disons, dans un mois ?

Il resserra son étreinte autour d'elle.

— Ce serait fantastique, dit-il. Mais nous devrons quand même nous marier ici. Cela fait partie de la constitution illyrienne.

Elle appuya son visage sur son torse puissant, s'enivrant du léger parfum sensuel qui n'appartenait qu'à lui.

— Oui, bien sûr, dit-elle joyeusement. Quelle femme refuserait d'avoir deux mariages ?

— A condition que je sois le seul marié de ta vie, dit-il, d'une voix grave.

— Tu seras le seul homme de ma vie, promit-elle tranquillement. Pour toujours.

Marco se pencha vers elle pour l'embrasser.

— A moins que nous ayons des fils, bien sûr…, ajouta-t-elle avec malice.

*
* *

Les cloches sonnaient à toute volée dans la capitale, envoyant les oiseaux tournoyer au-dessus de la foule. En dessous du soleil rayonnant, la ville bourdonnait joyeusement. Les cafés et les bars étaient bondés, chaque fenêtre et chaque balcon rempli de spectateurs qui chantaient ou jouaient d'un instrument.

Tout l'Illyria était en fête pour célébrer le mariage des trois Considine. Ceux qui avaient pu rejoindre la capitale s'alignaient le long des rues, prêts à acclamer les nouveaux époux.

La foule acclama Jacoba dans son carrosse blanc et doré avec autant d'enthousiasme que les deux autres mariées.

Après la veillée dans la cathédrale, le changement d'atmosphère avait été extraordinaire, si évident que Jacoba n'était plus du tout inquiète. Souriante, elle salua la foule en liesse. Elle porta ses doigts à ses boucles d'oreilles. Quand les deux frères avaient décidé que chaque mariée porterait une partie du trésor familial, elle et Melissa avaient décidé que, comme Sara épousait le chef de famille pour devenir grande-duchesse, elle porterait le Sang de la Reine, le superbe collier.

— La tiare appartient à ta famille, avait ensuite dit Jacoba à Melissa, alors c'est toi qui la portes.

— Tu en es sûre ?

Jacoba avait fait la grimace.

— J'en ai porté une pour le tournage de la publicité. Cela pèse une tonne ! Je prendrai les boucles d'oreilles.

A présent, elle était remplie de bonheur. Les gens qui se pressaient sur leur passage pouvaient-ils le voir irradier d'elle ? se demanda-t-elle. Les mois passés avec Marco lui avaient donné une entière confiance en son amour. Les préparatifs du mariage s'étaient déroulés comme dans un rêve, et les trois mariées avaient même réussi à choisir des robes qui allaient ensemble, grâce au talent de Sara.

A l'intérieur de la cathédrale, les grandes orgues retentirent quand elle descendit l'allée, ses quatre demoiselles d'honneur

— Lexie et trois amies — derrière elle. Le parfum des roses qui décoraient l'édifice se mêlait aux effluves de *Princessa* qu'elle avait vaporisé sur ses poignets juste avant de quitter le château.

Toute son attention était concentrée sur la haute silhouette de Marco qui l'attendait.

Les larmes lui brûlèrent les yeux. Elle battit des paupières et vit les lumières des bougies danser sur l'autel.

Son bouquet nerveusement serré dans les mains, les demoiselles d'honneur rassemblées derrière elle, elle attendit immobile tandis que l'assemblée s'asseyait et que l'archevêque se dirigeait majestueusement vers Sara et Gabe.

Malgré le faste déployé, la présence des invités royaux et de l'élite mondiale, la cérémonie fut simple et profondément émouvante. Jacoba refoula de nouveau ses larmes quand Gabe et Sara prononcèrent leurs vœux éternels.

Lorsqu'elle croisa le regard de Marco, elle dut détourner les yeux pour ne pas laisser ses émotions la submerger. Elle n'allait pas pleurer comme un bébé le jour de son propre mariage…

Enfin leur tour arriva, et Jacoba tendit son bouquet à Lexie. Debout à côté de Marco, elle entendit les mots solennels résonner à ses oreilles. La main de son futur époux se referma alors sur la sienne, chaude et réconfortante.

Sa voix était profonde et totalement confiante quand il prononça ses vœux ; la sienne résonna en écho, douce et basse. Puis Marco glissa le simple anneau d'or à son doigt. Se forçant à se détendre, Jacoba prit sa main et lui passa le sien. Elle entendit ensuite l'archevêque les déclarer mari et femme. La musique s'enfla soudain et le chœur des voix s'éleva en un triomphe éclatant.

Beaucoup plus tard, Marco posa ses lèvres sur le cou de sa femme et descendit lentement le long de sa gorge en une tendre caresse.

Ils avaient choisi de passer leur lune de miel sur la côte, et la vieille villa romantique était remplie du doux bruit de la mer et du parfum des fleurs. Les sons lointains des festivités leur parvenaient du village niché au bas des falaises. Soudain, le sifflement des fusées vibra dans la nuit chaude. Les gens faisaient encore la fête.

— Heureuse ? demanda-t-il.

Vêtue de sa seule alliance, Jacoba frissonna, encore en proie aux délices de l'étreinte qu'ils venaient de partager.

— Je suis *toujours* heureuse, tu le sais, murmura-t-elle.

— Moi aussi, dit-il calmement. Quand je me réveille chaque matin et que je te vois près de moi, si belle avec ces cheveux resplendissants étalés autour de ton visage, je sais que tu es la chose la plus précieuse dans ma vie.

Il s'interrompit quelques secondes avant de reprendre.

— Ai-je maintenant réussi à te convaincre que, même si j'éprouve une immense loyauté envers l'Illyria, je donnerais ma vie pour toi ? C'est toi qui passeras toujours en premier, tu le sais, n'est-ce pas ?

Emue, Jacoba l'embrassa sur la joue.

— Oui. Et je t'aime chaque jour davantage, avoua-t-elle. Je ne savais pas que c'était possible.

La lune, énorme, déversait un flot de lumière argentée par les fenêtres grandes ouvertes. Comblé, Marco pencha la tête et promena ses lèvres avec tendresse sur le ventre de Jacoba.

— Si notre premier enfant est déjà là, alors j'aurai plus que je n'ai jamais désiré, dit-il.

— Je l'espère, murmura-t-elle en souriant. Mais, de toute façon, nous avons tout le temps de recommencer s'il le faut, n'est-ce pas ?

Il éclata de rire et ses yeux clairs étincelèrent.

— Je suis à ton entière disposition, mon amour.

collection *Azur*

Ne manquez pas, dès le 1er janvier

UN ODIEUX MARCHÉ, *Margaret Mayo* • N°2743

Mariage Arrangé

Si elle veut donner à son père, accablé par l'échec de ses affaires, une chance de voir sa santé se rétablir, Dione va devoir rencontrer le redoutable Theo Tsardikos et lui demander de sauver de la ruine la société dirigée par le vieil homme. Contre tout attente, Theo accepte, mais à une seule condition : que Dione devienne sa femme pour un an…

LA FORCE DU SOUVENIR, *Elizabeth Power* • N°2744

Victime d'un accident qui l'a rendue partiellement amnésique, Sanchia n'a aucun souvenir des deux années qui viennent de s'écouler. Aussi ne sait-elle pas si elle peut croire Alex Sabre, avocat dans un procès où elle devait être juré, quand il prétend avoir passé une nuit passionnée avec elle. Pourtant, Sanchia ressent pour lui une attirance immédiate, comme un écho venu du passé…

LE SERMENT BRISÉ, *Chantelle Shaw* • N°2745

Lorsque Emily a épousé Luc, un an plus tôt, rien ne semblait pouvoir les séparer. Pourtant, dès qu'il sait qu'elle est enceinte, Luc devient froid et distant. Pire, alors qu'elle espérait de tout son cœur le voir revenir vers elle, Emily apprend qu'il la trompe avec une autre. Désespérée, la jeune femme s'enfuit en Espagne…

UNE RENCONTRE TROUBLANTE, *Kate Walker* • N°2746

Depuis la mort de sa cousine, Caitlin élève sa nièce Fleur, âgée de six mois, à laquelle elle s'est énormément attachée. Aussi son désarroi est-il total quand le père de la petite fille se présente à la réception de l'hôtel qu'elle dirige ! Car non seulement Rhys Morgan n'a rien à voir avec le portrait peu flatteur que sa cousine avait fait de lui, mais celui-ci entend récupérer sa fille à tout prix…

Et les 4 autres titres…

UNE PROPOSITION PRINCIÈRE, *Susan Stephens* • N°2747

Afin d'aider financièrement sa sœur, Emily accepte l'étonnante proposition du prince Alessandro Bussoni : devenir sa femme avant de divorcer en échange d'une substantielle somme d'argent. C'est compter cependant sans les sentiments qu'éprouve très vite Emily pour le beau prince ténébreux. Mais quel espoir a-t-elle de se faire aimer de lui, qui ne l'a épousée que par intérêt ?

L'INCONNU DE DUNDALE END, *Lee Wilkinson* • N°2748

Vengeance et Passion

En revoyant par hasard l'inconnu dont elle était tombée amoureuse alors qu'elle n'était qu'une adolescente, Bethany a l'impression de voir ses rêves les plus fous se réaliser enfin. Sans réfléchir, persuadée que c'est là son destin, elle passe la nuit avec lui. Mais au matin, elle découvre, meurtrie et désemparée, que l'homme de sa vie s'est envolé, emportant avec lui le précieux bracelet dont elle venait de faire l'acquisition...

L'IVRESSE DE LA PASSION, *Penny Jordan* • N°2749

Pour éponger les dettes que lui a laissées son mari récemment décédé, Sasha doit céder son hôtel en Sardaigne à un investisseur. Stupéfaite, la jeune femme découvre bientôt que cet homme d'affaires impitoyable n'est autre que Gabriel Calbrini, celui qu'elle a follement aimé dix ans plus tôt et qui ne cherche aujourd'hui qu'une seule chose : se venger d'elle.

UN CHEIKH À AIMER, *Sharon Kendrick* • N°2750

~ Les princes du désert ~

En venant à Paris annoncer au milliardaire Xavier de Maistre qu'il est le fils du cheikh du Kharastan, Laura ne s'attendait pas à rencontrer un homme aussi séduisant, ni que celui-ci pourrait mettre en cause les informations qu'elle lui apportait. C'était pourtant bien ce qui était en train de se passer. Pire, Xavier semblait penser qu'elle avait été choisie par le cheikh pour le séduire et le convaincre de se rendre au Kharastan...

Collection Azur
8 titres le 1er de chaque mois

Attention, numérotation des livres pour le Canada différente : numéros 1383 à 1390.

69 L'ASTROLOGIE EN DIRECT
TOUT AU LONG
DE L'ANNÉE.

(France métropolitaine uniquement)
Par téléphone 08.92.68.41.01
0,34 € la minute (Serveur JET MULTIMÉDIA).

Composé et édité par les
*éditions*Harlequin
Achevé d'imprimer en novembre 2007

BUSSIÈRE
GROUPE CPI

à Saint-Amand-Montrond (Cher)
Dépôt légal : décembre 2007
N° d'imprimeur : 71743 — N° d'éditeur : 13217

Imprimé en France